失礼ながら、その売り方ではモノは売れません

Hayashi Fumiko

林 文子
株式会社ダイエー会長兼最高経営責任者

亜紀書房

はじめに

セールスはやりがいのある仕事

モノが売れない時代だと言われています。

かつては洗濯機でも冷蔵庫でも、わくわくしながら買ったものです。全体にその〝わくわく〟感がなくなっていることは確かです。

ほとんどのモノが家庭に行き渡ったからだと言われますが、売り手の側に問題はなかったのか、と考えてみるのはムダではありません。

製品を造ってはみたものの、当初は売れず、営業が売り方や販路を必死になって探って活路を見い出したというのは、よく聞く話です。

お店も開店して2、3年、まったくお客がつかず、工夫を重ねているうちに徐々に口コミで広がって繁盛しだしたというのはよくあることです。

私たちは高度成長期という異常な時代を経験しているので、その意識がいまだに残り、大量に作って大量に売れる時代はとっくに終わっているのに、創意工夫しながら売ることを怠り、せっかくのセールスチャンスを逃してはいないか、と思うのです。

私が扱ってきたのは車という限られた商品です。始めは国産車で、途中から輸入車のセールスに替わりましたが、おかげさまでずっとトップセールスでいることができました。秘訣は何かと聞かれることが多いのですが、やはり常に創意工夫を怠らなかったことと、いつもお客様第一に考えていたからではないか、と思うのです。

モノが売れない時代だからこそやりがいがあると逆に考えたほうが、精神衛生上よろしい、というのが私の基本的なスタイルです。


営業には「人間対応力」が必要だと事あるごとに私は主張しています。簡単に言えば、「人間通」になりましょう、ということ。顧客は個客だと肝に銘じて、こまやかに対応すること。人が十把ひとからげに扱われるほど、不幸なことはありません。私もそうですし、この本を手にされた皆さんもそうだろうと思います。

お客様のことを考えれば、自ずと売り方の筋も見えてくる、という気がします。答えはこちらになくて、先《さき》様《さま》にある、ということです。つい売らんかなで肩に力が入るから、相手は引いてしまうのです。

長く現場でモノを売ってきた人間が、何を考え、何をしてきたのか、洗いざらいここに記しました。読後、モノを売るってこんなに楽しいことだったのかと感じていただけたらとても幸せです。

人生とは不思議な縁で結ばれているものだと、痛感します。陰に陽に手を差し伸べてくれた方がいたので、ここまでやってこれた、と思っています。

本書はそういう人へのご恩返しにもなるのではないかと考えました。

読後、ご感想などいただけたら幸いです。

林文子

CONTENTS

失礼ながら、その売り方ではモノは売れません✦目次

第1章 デフレ時代の、これが私の売り方

第2章 セールスは結局、自分を売っているのです

第3章 売れる営業は目のつけどころが違う

第4章 チーム力でモノを売る秘訣

装幀◆日下充典
本文デザイン◆KUSAKAHOUSE［神保由香］
著者写真◆海田悠

第1章

デフレ時代の、これが私の売り方

これからますますご用聞きビジネス

私の経験◆1

私の歩んできた道は国産車、輸入車の違いはあっても、一貫して車を売る仕事です。31歳でホンダの車を売るようになるまでは、高校を出て、手仕事から事務職まで自分を雇ってくれるところがあれば、そこでベストを尽くす、それが変わらない姿勢でした。

ただ車の販売は、学歴も男女差もない世界で、この仕事に出会ったときは、救われたような思いがしたものです。と言っても、すんなりこの業界に入れたわけでもありません。

わが家でシビックというかわいらしい、ヨーロッパの香りのする、斬新なデザインの車を購入したのですが、そのときの担当のセールスマンがあまり気の利かない人でした。なのに彼の支店ではトップセールスだと言います。私でもできるかもしれない……そう思ったのが事の始まりです。ちょうど新聞の折り込みチラシにセールスマン募集の広告が載っているのに気づき、すぐに地元の販売店に応募の電話を入れました。小さな販売店で、たまたま社長が出たのですが、「女性には到底ムリ」の答え。たしかに当時、私自身女性のセールスに出会ったこともありません。それでも必死になって「私なら、車をこう売りたい」と嘆願して、やっと「一度来てみなさい」の言葉をもらいました。

その会社ではむろん女性セールスの採用経験がなかったので社長も不安だったと思います。しかし結局私の熱心さに負けて採用。入社して受けるメーカー主催の営業研修は女性は例がないということで、仕方なく社長が自ら3日間の研修をしてくれました。

ホンダの車はこう売るとは一言も言わず、製品の種類や書類の手続きを説明、工場の隅にある洗車場に連れて行かれました。

「いいかい林君、もし君が最初の1台をお買い上げいただいたら、丁寧に水洗いをして、ワックスをかけてお届けするんだ」

とワイシャツの腕をまくり、プロの洗車の仕方を見せてくれたのです。

社長から学んだのは、アフターケアでお客様との絆を深めるという、セールスで最も大切なことです。「車のセールスは購入後に本当の仕事が始まる」と肝に銘じました。

1週間後、2つの営業必須アイテムを渡されました。1つはホンダの文字が白抜きされた営業カバン、それと私の名が入った名刺！　大企業では高卒の女性は対外的には名無しの権兵衛でよかったわけですから、名刺をもらったときの娯しさと言ったら。本当に感激でした。女性セールスは初めてだし、ともかく自由に外回りでもしてこいと言うのです。

車の売り方などまったく分かりませんでしたから、先輩に教わろうとすると、全然相手にしてくれません。彼らも突然、例のない女性セールスが入社してきて、とまどっていたのです。仕方なくセールスのノウハウを書いた本を買って読みました。トヨタの椎名さんという当時のトップセールスの書かれた本に1日100軒、訪問すべし、と書いてある。いわゆる飛び込み訪問です。

仕事に取り組むときは、素直さが一番です。そうか100軒か、それでトップセールスになれるのか、と納得したのです。朝8時に出社して5台ほど洗車をして、朝礼を受けて9時半頃には「行ってきます」と飛び出す。とにかく100人の人と言葉を交わすこと、それを日課と決めました。

木造2階建てのアパートの小さなドアのチャイムを押すと、赤ちゃんを抱いた若い奥さんが出てこられました。その奥さんに気に入ってもらって、あとで伺ったおりにお茶をごちそうになって、一緒になってテレビのワイドショーを見たこともあります。赤ちゃんがいて家を出ることもままならないので、お話し相手をしてお役に立ちたかったのです。

あるいは、大きなお屋敷に住む老夫婦にも気に入られて、お茶のお呼ばれをする。その時に、電器屋に用事があるけど億劫で出かけられないとか、歌舞伎のチケットを取りたいとか、具体的なニーズが分かってくると、その気持ちにどうしても応えたくなってしまう。

自分のできる範囲内で手づるを探して、お客様に満足してもらう。そんな日々でした。

家への帰り道にいつも立ち寄り、挨拶する花屋さんがありました。駅前の商店街には帰宅途中、必ず顔を出すようにしていたのです。お店の裏に停めてある古いサニーがそこのご主人のものらしい。あるとき、いつものように「車、そろそろいかがですか」と言うと、

「そんなに熱心にアプローチされても、いまはこのボロっちいサニーを買い換えるつもりはないんだ。でも、いつか買うときは、絶対にあんたから買うからさ。誓約書も書くよ。だから、こう毎晩来ないでよ」

と冗談とも本気ともつかずに言うのです。私は素直に嬉しくてその紙切れを翌朝、社長に見せました。社長は半信半疑の様子。ところが、その日のお昼頃、花屋のご主人から思

いがけない電話が入りました。

「何してんだよ、契約書持ってこいよ。約束どおりお宅の車を買うんだから」

つまりご主人は昨日、ひと芝居うったということ。人にだまされて、こんな嬉しいことはありません。車を売るのは人間関係が先だとお客様に教えてもらいました。

そんなことを続けていたら、1カ月程で支店でトップセールスになりました。

それから10年、ずっと私はトップセールスでいることができました。仕事がおもしろすぎて、とにかくガムシャラに駆け抜けた10年でした。それでちょうど40歳、さすがに体のあちこちに危険信号が鳴り始めていました。それに家庭にも悪影響が出始めました。10年目に所長になったのですが、週1日の休みも営業会議で無くなる。週2日の夫ともすれ違いばかり。そろそろ猪突猛進型営業から脱皮しないといけないと真剣に思い始めました。

そこでBMWに転身したわけですが、それは次の話として、ここまでの話をまとめてみようと思います。

私がそもそもホンダに入ったのは、ホンダの車が大好きだったから。

それと、この私でもそこそこの営業ができるかもしれない、と思ったから。

さらに言えば、1日100軒回ることにまったく迷いがなかったこと。きっとこれらの要素が複合して、トップセールスになることができたような気がします。

でも基本は〝ご用聞き〟に徹したということ。

昔は勝手口から酒屋さん、豆腐屋さんなどが「何かご用はありませんか」と声をかけたものです。富山の万金丹は薬を各家庭に売りに来たものです。IT時代の今だから必要とされるフェース・トゥ・フェースの営業スタイルそのものです。

これからお年寄りが格段に増えていくわけで、ご用聞きビジネスがまた脚光を浴びるのは自然です。商店街などで、いち早くその対応を始めているところもあります。肉も野菜も一括で運べるように、商店街が緊密にネットワーク化して初めてできることです。

品物を持って行けば、ただ帰ってくるのではなくて、お客の潜在ニーズを聞き出してくることを忘れない。中華料理やそばのようなありきたりの出前には飽きている、ほかほかの普通のお弁当を出前してほしい、などと注文が舞い込むかもしれません。もし既存のお店でまかなえないなら、商店街の共同出資で「ほかほか出前弁当屋」を作ってしまう。

ご用聞きビジネスは、裾野が広いと、私は実感しています。

来店即決の営業

私の経験◆2

先の話の続きをしましょう。実は〝ご用聞き〟セールスを続けているうちに、社長からショールームでの接客をしてもよろしい、という許可が出たのです。その言葉を聞いたとき、嬉しかったの何の。やっと会社で一人前扱いしてくれた、という思いです。

外回りでは私は招かれざる客というか、まったくのお邪魔虫。

ところがお店にお出でになるお客様は、チャンスがあればお買いになりたい、と思っていらっしゃるわけで、飛び込みの場合と１８０度方向が違います。

私にすればありがたい話ですが、億劫がって飛び込み訪問をやらない先輩セールスマンたちはもう慣れっこになっていて、次のようなことを言っていました。

「誰が買うか買わないか、早い段階でそこの見切りをつけるんだ。冷やかしのお客は適当にあしらわないと、時間の無駄になる」

まず自分がどんな人間かを分かってもらってから、さらにお客様の役に立って、それから、やっと車の話ができる。そんな毎日を送っていた人間とすれば、何と贅沢なことを言うのかしら、と思ったものです。わざわざ足を運んでくださるだけでもありがたい。それに買う気もある。もったいなくて選別などできるわけがない。それが正直な気持ちでした。

そういう気持ちは、自然と態度にも表れるもので、お客様の姿が外に見えた時点で、もう頭が下がっています。ショールームの自動ドアが開く前に表に飛び出して、満面の笑みでお迎えします。お疲れの様子なら、すぐにソファーに座っていただく。暑い夏にお越しになるお客様には、冷たい麦茶を差し上げてまずお休みいただく。ともかくわざわざ足を運んでいただいたことに、最高の感謝をしているとお伝えするのです。会話をしながら、お客様の視線がどの車に向かっているのか、それとなく観察をする。

「お目が高いですね。おかげ様でいま、大変な人気なのです」

ちょうどのタイミングを見計らって、意中の車のそばにお連れします。

私はショールームでのセールスは〝来店即決〟が基本と考えていますが、接したお客様に2時間で買っていただく、あるいは45分で買っていただくために、自分なりにストーリ

的に示すのです。


ーを組み立てていました。

笑顔で始まって、次にお客様を褒める、というかこちらが好意を持っていることを具体的に示すのです。

「奥様、とても素敵なブラウス、お召しですね」

「ご夫婦仲がよろしくて結構ですね」

まずお客様の人間的な面に興味を持ち、世間話もします。それから、車をお買いになって、どういう使い方をされるのか、イメージをお聞きする。旅行用なのか、仕事用なのか、ふだんの生活用なのか。自然と車のクラスも決まってきます。

では、ということで車へご案内する。実際に乗っていただくわけですが、シートの調節もする。その際に、なるべくお客様のそばに近づくような感じでやるのが大事なところ。距離が近いと親しい感じが出ます。もちろんそういうことを嫌がる方もいるので、人を見て、ということになりますが。

しゃがんでお客様の目線に合わせて話をする。お客様の手に触れて、説明をする。それから、自分がその車を運転した感じをお伝えする。細かいスペックの話よりも、お客様はそういう具体的な話を欲していることが多い、と経験から分かっているからです。

ちょっと余談ですが、最近、喫茶店などでもしゃがんで注文を聞くお店が出始めていますが、どうもしっくりきません。あるいは、テーブル席のレストランでも、ひざまづいて注文を取るところがあります。

もともと和風の作法なわけで、お店によって似合う似合わないがあるはずです。日本にはこういうふうに理由もなく横並びする風土があるように思います。自分がどういうサービスをしようとしているのか、明確に考えていないのだろうと思います。

車のセールスの場合、お客様が座席に座り、こちらが立って話をするのは、いかにも不自然です。ですので、お客様の目線に合う位置まで腰を下ろすわけです。

私は自分が飛び込みセールスをやっていたので、来店するお客様がすべてありがたかったわけですが、概して男性より女性の営業のほうが、お客を選別する傾向が弱い、つまりホスピタリティが高い、と私は思っています。

外に出れば女性ということで警戒心を解いてくれる、中ではお客様はすべて大切という意識で接する――これで営業成績が上がらなかったらウソですね。

決して自社製品を褒めない

私の経験✦3

最初の車を買っていただいた日のことを昨日のことのように覚えています。ちょうど外回りを始めてひと月ぐらい。黄色のシビック。やはり〝ご用聞き〟で何度かお邪魔をしていたお家で、私のことを可哀想に思ってくださったのではないかと思います。

当時は、契約はおもにお客様のご自宅ですることが多かったのですが、注文書を書き上げるのに2時間半もかかったことを思い出します。私が新米セールスと知らず、「書類作るのって大変なのね」と優しく言ってくださった奥様。それこそ冷や汗ものです。契約をいただいたあと、あまりにも感激して帰る道を間違ってしまったことを思い出します。

それからは月に7、8台。最初の年は80台ぐらい。ひと月で一番多かったのが17台、1日で5台売ったのが最高です。年間では最高145台売った年もあります。

月に17台売ったときは社内にライバルがいて、彼と15台、16台と並んでいました。売上の最終日、16台目を夜の10時半に決めて、本社に報告したら、部長が「彼はたったいま同じ16台目を売ったよ」との返事。どうしても1番になりたくて、既納客で、そろそろ買い替え時期のお客様が1人頭に浮かんだので、夜中の12時くらいに押しかけました。ご主人は宴会でご不在で、奥様が家に上げてくれました。コタツに入りながら奥様にいろいろと事情を話しているうちに、ご主人が30分ほどして酔ってご帰還。

深夜に申し訳ありません。こういう事情で、どうしても車を買ってほしい、と嘆願しました。ご主人はお酒の酔いも手伝って意気に感じてくださり、「よし」と即決でした。本当に人の気持ちの優しい時代でした。

私は31歳という年齢で車販売の世界に入ったわけで、ふつうの感覚からすれば遅すぎるということになるのでしょうが、私自身は生活者の視点を持って業界に入ったことが、のちのちプラスに働いたと思っています。

規制緩和で民間から学校の先生に転身する例を新聞などで見かけるようになりましたが、子どもと接する大事な仕事ですから、ある程度社会経験を積んだ人のほうがいいように思います。

そういう意味では若い先生を数年、企業に派遣して社会経験を積ませるというのは、いい方法ではないかと思います。

なぜこういう話を始めたかというと、営業にも幅広い社会経験が必要ではないかと考えるからです。たとえば、何度も訪問したお宅が、別の会社の車を買ってしまう、というケース。

ショックなのは確かですが、先方にも「何度も足を運んでくれたのにすまない」という思いがあるのです。「どうしてうちのを買わなかったのか」と暗に責めたり、「愛想なしですね」と皮肉を言うのも、この場合、よくありません。

私ならこう言います。

「それはいい買い物をなさいました。大へん残念ですけど、お客様がお選びになった車ですから、きっといい車に違いありません。でも、きっと次回はうちで」

お客様はたくさんの情報に囲まれて、自分の選択にこれでいいと自信を持てなくなっています。

迷って選択したときに、「それでいい」と言ってくれる相手に、信頼感を持つのです。

たしかに、そういうお客様はその後、ご友人を紹介してくださったり、また戻ってきてくださったものです。

セールスでも、ほかの会社の車の悪口は厳禁です。お客様はこころのなかで、他社の車も選択肢の1つに入れているかもしれません。それを否定されて、いい気分がするものでしょうか。

それと、自社の車を褒めないこと。

あくまで自分で乗った感じを伝えるようにします。自分の会社の製品をそこの社員が褒めるのは当たり前のことで、誰もそんな話に心を動かされはしません。営業で大事なのは、この〝心を動かす〟ということです。

どうでしょう。他社に出し抜かれても非難しない、自分の会社の製品を褒めない、これってなかなかの社会経験がないと、できないことではないでしょうか。

私は社会経験と生活者の経験と両方持って、自動車販売を始めたわけで、そこから自ずと上記のような営業スタイルが出来上がっていったような気がするのです。

投網営業という独特なやり方

私の経験◆4

先にショールームに来られたお客様の選別をしないという話をしましたが、それは私の言い方でいえば、投網《とあみ》を広く打つ、ということになります。たくさんの方と接しているうちに、すぐに買われる方、後日確実にお買いになる方、しばらく様子見になると思われる方、だいぶ可能性の少ない方など、いろいろと分かってきます。

そこで「出る引く」をはっきりさせるのです。しつこくダラダラとやっては、かえってマイナスです。ところが売れないセールスマンに限って、1人のお客に張り付いて離れない。

お客さんにはものを買うタイミングがあって、いくらこちらが一生懸命やっても、タイミングが合わない限り、徒労に終わります。ああ、いまは買い気が落ちたな、と思えば、ちょっとほかのお客様に声をかけて、間をあけたりします。

それと、お客様の性格も読まないといけません。

忙しくテンポよく買いたい人もいれば、じっくり研究して納得してからでないと買わない人もいる。そういう性格を読んで対応するのが、少なくともセールスの基本ではないかと思います。

テンポのいい人に「燃費がどうで、ボディの強度はどうで」と長々と説明してもだめで、「箱根の坂を走らしてみてください。とても気持ちいいですよ」とやったほうが心に残ります。

それともう1つ、相手のスタイルに自分を合わせることも大事。

インテリジェンスのあるお客様には、それ相応の対応をする。話の合間にクラシックの話が出れば、それに合った話題を提供する。長靴をはいて軽トラックを見に来たお客様には、もっとフランクな対応を心がける。

これを全部、自分の決まったスタイルでやろうとすると、当然のことその営業は失敗に終わります。そういう意味では、営業はふだんの勉強がいかに大事か、ということです。引き出しをたくさん持たないと、多様なお客様に対応できません。

ここで気をつけたいのは、お客の心理を読むのはいいのですが、分かったような顔をしないということです。あくまでお客様に意識を集中しています、という姿勢を見せ続けること。それでいながら、どうやったら成約にたどりつけるか、頭のなかで冷静にシナリオを書かなくてはなりません。

ハートは熱く、頭はクールに——これが営業の理想のスタイルではないでしょうか。

私は始め、とにかくお客様に関心を持っているということを示すことで精一杯でした。趣味の話が出れば、それに乗っていく。家族の話が出れば、自分の家のことも話題にする、といった具合。

それが、あるとき、お客様に合わせて趣味の話をしていたつもりが、

「そんなことはもういいから、肝心の話をしろよ」

とお叱りを受けたのです。それでハッと悟りました。お客様もわざわざこちらに話題を提供してくれているんだ、と。私が調子に乗って、延々と話を続けたので、今度はお客様のほうがシビレを切らした、というわけです。

そこでお客様の表情の変化を細かく見る余裕があれば、こういう間違いもなかったのでしょうが、迂闊でした。

先輩からものを教わることの少なかった私ですが、無手勝流でやりながら、実はお客様からたくさんのことを学んできたように思います。まさに「知恵は現場にあり」です。

きっと皆さんも営業関係の本や雑誌をたくさん読んで、いかに売れる営業になれるかと、日々研鑽を積んでおられると思いますが、一番の勉強の場は店頭、お客様だということです。

その際に大事なのが、幅広い社会経験や、生活者の視点です。営業は1つの固定したスタイルでやれるほど、甘くはありません。専門バカをもじって営業バカという言葉を作れば、営業は営業バカではいけない、ということです。

買い物袋を提げた女性が入ってきたら、今日の大根の値段が言える、それぐらいの男性セールスマンがいたら、すごいですね。

私の経験✦5

その日のうちに答礼訪問

土日に車の展示会をやり、新規に来られたお客様にはその日のうちに必ず訪問する答礼訪問というのを、私はやっていました。

5人、新しいお客様を接客したとします。どういう順番で回るかというと、確率的にお買いになりそうな人から先に回ります。平均して同じようなら、道順で回ることにしていました。

ショールームでの接客のときに、家にいる時間などをさりげなく聞き出しておくことも忘れません。「これから外でお食事ですか」で「はい」なら、それを計算して立ち寄る時間を割り出すわけです。

訪ねて行って、玄関まで入れてくれて、「まだ決めてない」と言われる場合もありますし、名乗っただけで断られるケースもあります。

家に上げてもらって、商談が終わるとたいてい11時とか11時半。

あまり遅くなってインターホンを押せない場合は、家の前でお礼状を書いて、小冊子と一緒にポストに入れておいて、翌朝、電話をしてご様子うかがいをすることも忘れません。

ある日、2軒目の家に8時半頃にうかがったところ、

「おかあさん、やっぱり来たよ」

とそこのご主人が玄関で言うのが聞こえました。

家に上がらせていただくと、日産、トヨタ、ホンダのカタログを並べて一家中で検討会を開いていた様子。

「林さんは説明が熱心だったから、きっと後で家に来るよ、と話をしていたんだ。あれならアフターケアも大丈夫だと女房も言っていてね」

というわけで、その場でサインをいただきました。

ほとんどのお客さんは、ほかの会社の車も見て、お帰りになります。そうすると、他社の答礼訪問を受ける可能性もあるわけです。ですから、お客様の家から離れたところに車を停めて、家の周りを一周して、他社の車がないか確認するようにしていました。

たとえば日産の車が停まっていて、中を覗いて地図が広げてあれば、たいてい営業マンの車なので、しばらく自分の車のなかで潜んで待機することにします。

先客が帰ったところで、今度は私の出番です。

お客さんはすでに他社の見積もりで条件が出ているので、私とすれば話が詰めやすいという感じでした。しかし、商談では大へん緊張しましたから、自分の車に乗り込むとしばらく運転することができず、お客様の家の前にじっと停車していたのを思い出します。

ホンダのときは本当にがむしゃらに働きました。

商談をいくつも抱えていたので、先のが延びて、後のに2時間遅れで着いて、玄関先で「もう買わない！」と怒鳴られたこともあります。

かなりの台数を売っていましたから、納車も1日に数軒が重なります。昔は自分で洗車をし、ワックスがけをして、新車を納めたものです。

4台納車したときは、最後のキャリアウーマンのお家に着いたのが10時半ぐらい。何か甘いものをご馳走になって、ふと気が付くと時計が午前1時。ソファーの上で、毛布をかけてもらってぐっすり眠っていたのです。

お客さんがリビングで頬杖をついてマニュアルを読んでいました。

「疲れてうたた寝をしていたので、寝かせてあげたわ」

とおっしゃる。同じ働く女性としての共感を、お客様は私に持たれたのでしょう。じわっと温かいものが胸にあふれてきました。

いまは様変わりして、こういう泥臭い営業をする人が少なくなりました。お客様も昔より数段シビアになりました。でも若いうちは、自分のやりたいようにがむしゃらにやったらいいと思うのです。たしかに無駄なことがたくさんありました。しかし、量が質に変わることって、実際にあるのです。

もちろんいつまでもこういう数打てば当たる式の営業ですむはずもありません。年齢相応の営業の仕方というのが、あるのは確かです。私は10年、ホンダで国産車を売り、家庭の事情もあり、心機一転、輸入車業界に入りました。

年も41歳。

今度は管理職の立場で車を売る経験を積むことになります。それはまたほかの項で。

BMWですぐにトップの秘訣

私の経験✦6

ホンダのあと、なぜ輸入車販売に転身したのかと聞かれることが多いのですが、車を売っていれば、当然高いクラスのものを扱ってみたい、と思うものです。それに自分が培った営業ノウハウが、高級輸入車業界でどれほど通じるものなのか、それも試してみたかったということがあります。何しろ遅まきの出発ながら、私はセールスとして10年選手になっていたからです。

１９８７年、時代はバブルの真っ最中。高級輸入車が受け入れられる下地ができ始めていた頃でもあります。

私はＢＭＷの世田谷支店に電話をかけて、セールスに採用してくれないか、と打診しました。もちろんホンダでの成績も伝えたのですが、返事はノー。想像していたことなので落ち込むこともなく、早速、履歴書にレポートを添えて、再挑戦です。社会経験を積んでくると、このへんがなかなか打たれ強くなる。

　レポートに書いたのは、

「これから田園都市線エリアは重要なエリアになる。私はそこを庭のように熟知している。10年で培ったノウハウすべてを注ぎ込むので、ぜひ採用してください」

ということ。私のレポート内容が、たまたまBMWが考えていた戦略に合致したらしく、即採用が決まりました。やはり目的を持ったときは、一度で懲りず、諦めずにチャレンジするということです。

　当時、BMWには11の支店があり、100人程のセールスマンがいました。もちろん全員男性です。年間のセールスランキングリストを見ると1位は100台を越えているのに2位は70台弱です。2位以下は数字の開きがないのですが、この1位と2位の大きな差は不思議でした。ベテランセールスに理由を尋ねました。

　実は、その答えが私を奮い立たせたと言っていいでしょう。

「BMWはある限られた層、つまり富裕層に買っていただく車。十分なアフターケアをするためにも、あまり数を売りすぎるのは良くないんだ」

この発言の裏には、当時、故障で悩まされたベテランセールスには、外車は売ってからあとのアフターケアが大変だという固定観念があったのです（最近の輸入車はほとんど故障もなくなりました）。

それにしても、その発言を聞いて、私は論理が逆じゃないかと思ったものです。たくさんの人に自社の車を愛してほしい、と思うのが営業です。もし売れたら、売れたなりのサービスシステムを構築したらいいのではないか、と考えました。現状を固定的に考えると、せっかく売れるモノも売れなくなります。

といってもBMWは先進的な取り組みをいくつもしている会社でもありました。1981年に独BMWがいち早く日本に現地法人を設立、低金利5年ローンを業界に先がけて導入しました。広告もおしゃれ、顧客に出すDMは高級感にあふれ、販売価格も下げて、戦略的なマーケティングを行っていました。それではいったい何が足りないのか。

足りないのは、直接お客様と接する営業現場の努力とアイデアではないか――私は直感的にそう思いました。

お客様にしても、外車ディーラーの営業とは素っ気ないもので、敷居が高く、それが当たり前のことだというお考えをお持ちでした。営業方法も未開拓なら、顧客意識も同じく未開拓だったわけです。

私はホンダで培ってきたやり方がきっと通じるだろうと思いました。たしかに1台400万円以上はする高い買い物です。しかし、顧客心理は不変だろうと思うのです。手厚く扱われて、悪い気のする人はいないはずです。ほかでも書いたように〝個客〟として遇するのです。

私は入社2年目で98台を達成。たしか1位の人が102台、3位が97台と順位のあいだに台数の開きが無くなりました。高級車でもこれだけたくさん売れるんだ、それも高級車販売の経験のない女性が頑張っている、ということで自分で言うのもなんですが、〝林効果〟が現れた結果かもしれません。

その後、5年間、私はトップセールスを続けました。

マネジメントはこころでやるのです

私の経験◆7

93年に私は女性として初めて支店長就任の辞令を受けました。場所は新宿です。世田谷支店では課長になっていました。

ある人から「あそこは治外法権の店だからね」と言われたことを覚えています。バブルの崩壊後、支店長が1年ごとに替わるめまぐるしさで、まったくいい結果が出ていない。その人が言いたかったのは、会社としてもお荷物のようなところに君を送り出すんだ、といったニュアンスではなかったかと思います。たしか誰からもお祝いの言葉をもらわなかったような気がします。

後で分かったのは、会社は諦めて適当な人事をしたのではなかった、ということです。もし私が社長なら、低迷している一番難しい支店に、万感の思いを込めて、戦力になる人間を送ります。私がそういう人材だったと自慢したいわけではありません。後で社長職を経験したことで、私の新宿支店転出の意味が分かったのです。

新宿支店は86年のオープンで、当初は都心のアンテナショップとして大へん華やかな存在でした。しかし、次第に業績が悪化していったのです。

出社初日、ベテランセールスから強烈なパンチを食らいました。

「明日から何をやるんですか?」

新しい支店長がやってきたというのに、集合のミーティングに全員が揃わない。直行直帰が当たり前になっていて、支店長が替わったからといって、わざわざ会社に出る必要がない――「明日から何をするんですか」と聞いてきたのはまだましなほう、という感じです。

バブルがはじけ、得意だった上級車販売の比率も下がり、来店する客足はぐっと減り、もちろん売上は下降。ショールームに活気がなく、ショールームの人に見えるところはまだしも、人目につかないところは雑然として、片づける気配もない。

オフィス街の支店なので、住宅街のような個人相手の営業がしにくい。お客が向こうからやってくる営業はしたことはあっても、こちらから仕掛けることが少なく、方向性を見失って、波間に漂っているような状況でした。

貧すれば鈍するとはこのことか、と思いました。

せっかくのブランドを持ちながら、意気消沈してしまっているわけです。

マネージャーとして何をやるべきか。数字で目標を出しても、空念仏に終わってしまうのは目に見えています。とにかくモチベーションが上がらないことには、仕事になりません。

私は腹をくくりました。ここまで悪いということは、後は良くなるしかない。何か努力すれば、そのぶん少しでも上向く、と考えたのです。

どうしても業績が悪いと、社員の悪い面に目が行きがちです。自分のことは棚に上げ、あそこが悪い、ここが悪いと責めて、結局、負のスパイラルに陥ってしまいます。実は業績が悪いときほど、社員のいい面に目を向けないといけないのです。

少しでも建設的な意見を言えば、それを褒める。ふだん大人しい人が、思い切って何かを言えば、それを褒める。人知れず努力する姿勢があれば、それも褒める。暑い日、寒い日に頑張って仕事して疲れた様子で帰ってくれれば、それを褒める。二日酔いなのに殊勝にも時間通り出社してくれれば、それを褒める。

あとは支店のロケーションも褒める。高層ビルに囲まれているのに、向かいの中央公園は緑がいっぱいで美しい。近所にお寺や神社があって、縁起がいい。町行く人がスマートで洗練されている。

とにかく私はこの店に来て、しあわせだとアピールし続けました。絶対にマイナスのことを言わない。

同行営業のときも、男性の上司だと「行ってやる」となりますが、「お客様のところに連れて行ってくれませんか」とお願いする言い方をしていました。お客様の前でも、部下のことを褒める。「こういうところがAさんはズバ抜けてましてね」とやる。すると、お客様も安心するし、言われた当人も嬉しそうな顔をする。

帰りの車中でも、「あのトランスミッションの説明、上手でしたね。さすがね。私も勉強させてもらったわ」と真実のところを褒める。そして、決まって最後に「半日あなたと一緒に仕事をして楽しかった。ありがとう」と付け加えることを忘れません。

こういうごく基本的なことをやり続けた結果、就任半年で12支店で達成率トップの成績に。それから5年間、ほとんど1位をキープ。奇跡は起きるものです。

メリハリを付けると成果が違う

私の経験◆8

先に褒める話をしましたので、叱る話もしようと思います。

基本は、業績に関して叱るときはみんなの前でやります。ミスや人格にかかわるときは、個別にやるようにしています。ただ、叱るときは、ちゃんと事前にしゃべることを準備して、計算しておくようにしています。その叱り方も、たいていは、

「何をやっているの、どうしたの。あなたともあろう人が」

と言うのです。あるいは、

「あなたは素晴らしいものを持っている。それなのにどうしてそれを使わないの？　悔しいし、残念。そんな私の気持ち、考えたことがありますか」

という言い方をするときもあります。

褒めて伸びるタイプ、叱って伸びるタイプという言い方をすることがありますが、私は

叱るときも褒める要素を忘れないようにしています。どっちか片方だけで人を説得できるとは思えないからです。

どうしても同じミスを繰り返す人には、机を叩いて、涙をためて、説得をすることもありました。これは別に演技ではなくて、自然にそうなってしまうのです。本当に悔しかったのです。

こちらに真心があれば、叱ったことでしこりが残ることはありません。たいていの上司はそれを心配するわけですが、相手のことを思ってアドバイスするんだと思い決めれば、叱ることが怖くなくなるはずです。

いま日本の中間管理職は自信を失っていると言われます。私も講演会などで、その種の発言を男性から聞くことがあります。そういうときに、こうお尋ねするのです。

「ここ最近で社員本人を前にして褒めたことがありますか」

１００人、２００人いても手が挙がるのはたいてい2、３人。

褒めたことのない人は、きちんと叱れない。それが私の変わらない持論です。どうか恥ずかしがらずに部下の方を褒めてやってください。

ショールームを演出する

私の経験◆9

私は途中から〝劇場型ディーラー〟という言葉を使い出しました。

これは新宿支店のような黙っていてはお客さんが来ないようなお店をどう活性化するか、と考えたときに思いついたものです。お客様に足を運んでいただくには、何か魅力的な催しをしないといけない、それは何か。

それと、場所柄もあって新宿支店の家賃はけっこう高い。ガラス張りの素敵な店構えなのに、有効利用されていない、という思いがありました（94年に思い切ってショールームを改装しました。雑然としたバックヤードも従業員満足の観点からきれいにしました）。

高級車、それも輸入外車を扱っているショールームにふさわしいイベントとは何か。それは、うちが抱えている顧客層に合うものは何か、と考えるのと同じことです。

新宿という場所は、確かに居住者ばかりを相手にビジネスはできませんが、交通の便がいいので、おもしろいものがあれば気軽に立ち寄ってくださる立地の良さがあります。

私は小さい頃に親に歌舞伎や浅草の大衆演劇に連れて行ってもらったことが影響しているのか、何かそういう演劇的なものや、芸術的なものに常に触れていたい、という気持ちがあります。高校のときショパン好きが高じて、日本ショパン協会の会員にもなりました。

新宿で最初に催したのが、バイオリンとチェロのコンサート。

私は小さなコンサートなどによく出かけて、後の懇親会などで名刺交換をして、結構、音楽家で知り合いがいたので、そういう人に頼み込んで出演をしていただきました。

お客様でお呼びしたのは、以前に車を買っていただいた方。すぐにはご購入には結びつかないかもしれませんが、その人たちがきっと情報の発信源となって、この新宿支店のことをお知り合いの方などにお話しくださる。それが回り回って、営業の下支えになるはずだ、と半信半疑の部下を説得しました。

費用の面で言えば、ＤＭを発送するのに制作費込みで１通あたり２５０円、それが１万通だと２５０万円になる。同じ２５０万を使うなら、対象を５千通に絞り込んで、残りの費用でイベントを開こう。

限られた予算だから、広告代理店は使わず（使えず）、チラシなど手作りでできるものは自分でやること。演奏家との打ち合わせも、営業マンにすれば初めての経験です。

ふだんの展示会ですと、三々五々お客様がやってくるのを待っているわけですが、イベント日は決まった時間にどっと人がやってきます。それを手際よく、失礼のないようにさばく経験も初めてのこと。

初めてのイベントは220人の出席者でした。ふだんはクレーム処理で謝ってばかりいる営業が、逆に感謝されるわけですから、感激がひとしおです。

お客様のなかには、この催しで新宿支店を見直した、とおっしゃってくださる方もいて、買い換えでご指名をいただくなど、実際の数字としても効果が現れるようになりました。

社員は、ふだんは車を売ることしか頭にないわけですが、これをきっかけに文化的なもの、芸術的なものに関心が広がったようです。もちろん初めてのことを成し遂げたという自信のようなものが、みんなの顔にあふれたことも付け加えておかなくてはなりません。

続いて企画したのが能のイベントです。ちょうどその頃、薪能のちょっとしたブームで、鎌倉で見て、何とファンタスティックなものなのかと感動し、ハマってしまいました。関連する本を読んだり、装束の展覧会に出かけたり、熱が上がる一方でした。

知り合いの方に頼んで観世流梅若会の梅若靖記さんを紹介してもらいました。その頃、中野にある梅若能楽堂で見た「葵の上」のあまりの素晴らしさに息を飲みました。

さりげなくショールームにBMWの車を飾って、幻想的な能の舞を演じていただく。その演出にお客様からたくさんお喜びの言葉をいただいたものです。業界でも大へん評判になった催しでした。「BMW新宿桜能」と名付けました。

その後、ダンスパフォーマンスのイベントも行いました。毎回、大盛況で、営業マンとお客様が一体になった感じが忘れられません。

せっかくの機会なので、地域の方にも声をかけて出席していただきました。そういうつながりができてこそ、営業力がアップすると考えたからです。

ローコストでやりましたから営業マンの苦労も多かったと思います。でも文句も言わずにやってくれました。当時を思い出すと感謝の気持ちでいっぱいです。

人とどこが違ったのか

私の経験◆10

新宿支店が順調に推移していたところで、今度は中央支店への転出です。旧山一證券本社ビルの斜め向かい、店の前の永代通りは倒産ストリートと新聞の見出しにも書かれていました。業績も低迷していて、新宿支店を建て直したものの、実際、自信があったかというと、ウソになります。成功するというのは結果。私たち仕事をする人間には、倦《う》まず弛《たゆ》まずの日々のプロセスしかないのです。

ともかく誠意をもって社員と向き合おうと決意しました。それにしても、社長というのはよくもまあ、次から次と課題を振ってくるものだ、と思ったものです。

やったことは新宿支店と同じ。社員の意識改革とショールームの改善、それとイベントの実施です（能をやりました）。新川2丁目に支店があったので新川能と名付けました）。なかでもエントランスからずっとモダンな絵が店内まで、途切れることなく飾られている様子が評判で、面目を一新したとお客様から褒めていただいたことがあります。そこは3カ月で売上達成率がトップになり、私が1年ほどでフォルクスワーゲンに転身するまで、その座をほかに譲ることはありませんでした。

何か新しいこと、新奇なことをしようとすれば軋轢があるのは確かですが、一生懸命に行動し、考えた結果、目新しいものに挑戦しようという姿勢を、会社はむげに否定しないものです。これを言っても無駄だろうとか、どうせ決まったことしかできないと諦めないで、自分の可能性に挑戦し続けること。すると、きっと誰かがそれを評価し、掬い上げてくれると信じること。

考えてもみてください。女性で、高卒で、出発が遅くて、それでもどうにかやってこれるのです。男性で、大学を出て、若いときから仕事に就いて、いったい何を諦める必要があるでしょう。時代が違う？　私には言い訳にしか聞こえません。

私に人と違うところがあったとしたら、常に熱いハートがあったということかもしれません。ショールームでのイベントなど、その熱い気持ちが呼び込んだものだったような気がします。

苦境なのに時間短縮

私の経験◆11

中央支店では思いがけないスピードで業績が上がり、社員ともども気分が高揚していました。そんな中に、フォルクスワーゲングループから社長にとお誘いが入ったのです。

寝耳に水とはこのこと。まず私は支店の9人の営業マンの顔を思い浮かべました。そして新宿時代の7人の侍のことも。

年齢が52歳になっていました。2つの支店をトップにするために、やれることは全部やったという満足感はありました。もしこのまま中央支店にいても、以前の自分とまったく違う斬新なことはできるだろうか。

私は常に自分が新しい自分でいることが好きです。停滞したり、まして後退している自分には居心地の悪さを感じます。もし後2、3年、この支店にいたらその思いに囚われるのではないか、と考えました。

しかし、中央支店の社員との関係は最高でした。製品優先になりがちな自動車販売の世界で、心底「人が大切」という考えが徹底した店でもあったのです。

どうしていま彼らと別れることができようか。まったく知らない会社でいきなり社長が務まるだろうか。BMWというブランドを私は大へん愛していましたし、思い迷う日々が続きました。

人材教育・派遣のザ・アール社長の奥谷禮子さんにもご相談に乗っていただきました。彼女は即座に「いいチャンスね。飛び込んだらいい」との返事。その一押しでついに気持ちが固まりました。

フォルクスワーゲングループジャパンの外人社長から提示された次の3つの言葉は、私の心に直に届く感激的なものでした。

1 社員を幸せにしてくれませんか。そういう職場環境を作ってくれませんか。

2 女性としてこの機会をつかまえ、成功に導くことは、日本の働く女性にとっても励みになるのではないでしょうか。

3 そのためのサポートなら私はあなたのために何でもします。

外人社長は私の目を真っすぐ見つめて、こう言われたのです。業績を建て直せとは1つもおっしゃらなかった。また、かつて私は上司から、こんな直接的に「あなたをサポートする」などと言われたことがありませんでした。

98年2月、私はファーレン東京の社長となりました。

当時のファーレン東京は長期間赤字を続け、将来展望を描きあぐねていた状態でした。それでも管理職は残業に次ぐ残業で、家庭生活にまで影響が出ているのに、業績が上がらないことで、徒労感だけが深まるような状況でした。

過去5年間、毎年18%の社員が辞めていました。会社とすれば本当に危機的な状態で、経営の経験のない私にそういう会社を任せようとしたのですから、かなり冒険だったのではないかと思います。

もともと潜在能力の高い会社だという認識は持っていました。バブル時に投資した不動産の借入が本業を圧迫して、それで赤字が続いていたのです。

経営不振から社員教育は不十分、ショールーム、サービス工場の設備、どれをとっても老朽化が目立ち、改善点がごまんとありました。

それとフォルクスワーゲン、アウディ販売に参入する前は、いわゆる売り切り型の中古車販売を得意とした会社でしたから、アフターサービスに対する意識が希薄で、顧客管理も不十分でした。

14拠点の営業所があるのに、転勤などの人的な交流が少なく、したがって情報の共有化もされずにいました。外資系にもかかわらず、人事制度も年功序列的な要素が強く、評価も曖昧なものでした。ただ、社員の平均年齢は約31歳と若い。これは定着率が悪いのと裏表の関係なのですが、風土改革が進めば、この若さは戦力になる、と考えました。

1つ改革の具体的なものを挙げると、営業所の営業時間を午後9時に閉めるのを7時に繰り上げました。みんな一丸となって頑張らないといけないときに、時間短縮をしたので、驚いた方が多かったようですが、私は自分の生活も楽しめない人が、ヨーロッパの高級車を売れるとは思えなかったのです。

この改革が社員の気持ちに火をつけたのではないかと思います。それに短縮した時間のなかで、いかに濃い仕事をするか、と意識が変わりました。

おかげで2年で黒字に転換、目標を2年前倒しで達成することができました。毎年130%ずつ売上を伸ばすこともできました。

また奇跡は起きたのです。

人事では若手の抜擢を積極的に行ったのと、女性登用に関してもキャリアアップできる制度を作りました。

前者は年輩者の刺激になりましたし、後者は男性陣への刺激になりました。とくに女性を戦力として位置づけたことは大きかったようで、管理職の意識変革が進みました。

ファーレン東京からフォルクスワーゲン東京に社名変更をしたのを機に、2001年の年頭のキックオフミーティングのあと祝賀会を催したときのことです。社員一人一人にIDカードを配ったのですが、ミーティングの最後に代表者3名に壇上に上がってもらいました。シドニーオリンピックの余韻冷めやらぬときでしたから、まるでメダルでもあげるように3人の首にIDカードをかけてあげたところ大反響。

その後、パーティ会場に行くと、何と全員がIDカードを首にぶら下げているのです。

わいわいがやがやとそれは賑やかなものです。

ふだんは寡黙なサービス工場のメカニックの男性が、「社長、僕、今年ははじけるよ」と声をかけてきました。私も社員と「やったね！」とハイタッチをし合う有り様。

ふだんの仕事では、目標達成をしたからといって、感激して抱き合うなどということはありません。前年比30％増となっても、日々は淡々と過ぎていましたから、まるでドラマでも見るような光景が展開されたのが意外でした。そうか、社員というのは、こういう機会を待っているんだ、と思ったものです。

経営者となって分かったのは、自分の裁量で決まる範囲が格段に広くなるということ。時間短縮の件は、実は以前から考えていたことでしたが、支店長クラスで実行できることではありません。東名横浜店（東京・町田）の新車中古車併売店をまったく新しいデザインで、リニューアルオープンさせるようなことも、社長となれば可能になります。この店は、結果、前年比190％という販売実績を上げました。

社長業のおもしろさが分かってきた――それがフォルクスワーゲンでの経験から学んだことです。

安全パイではなくリスキーを選ぶ理由

人生は競馬などと違って、選択肢にオッズが決まっているわけではありません。自分で成功と失敗を秤にかけて、進むか退くかを決めるわけですが、神ならぬ身、どっちがいいかなど決めようがありません。

では、どうしたらいいか。

選択に迷うときは、困難なほうに賭けるのが私の方法です。迷うということは、成功と失敗の可能性が五分五分だということ。リスキーなことに挑戦するということは、相当な努力を必要としますから、結果得るものが大きい。よって、より難しいほうに賭ける、という選択になります。

これは実は後付けの考え方で、自分の来し方を見てみると、大事な選択のときは決まって困難なほうを選んでいるのです。

いろいろ問題があるぶん、一生懸命事に当たる——だから成功する、あるいは大失敗はしない、ということになるのではないかと思います。

もし安全な選択ばかり繰り返していたら、きっといまの自分はなかっただろうという気がします。それにもし安全策ばかり採っていたら、ひとの評価もそれほど得られなかったのではないかと思います。

BMWでの新宿支店、中央支店、どちらも業績が低迷している状況でした。フォルクスワーゲンへの転身も、長期間赤字が続いていた状況へ踏み込んだわけで、決して華々しいものではありませんでした。

しかし、私は根が楽天的なこともあって、危険性が大きいぶんチャンスも大きいと考えるのです。実際、どんなビジネス成功譚を読んでも、必ずはらはらドキドキの場面があります。よく言いますね、山高ければ谷深し、と。まさにそれです。

裏を返せば、人生でもビジネスでも、リスキーな選択に出合わない人は、大きな成功は覚束ないということになりそうです。

私は企業の製品開発話に心が躍ります。そこには常にリスクテイクの問題が潜んでいます。

中でもソニーのプレステ開発の話が大好きです（雑誌で読んだ記憶のままなので、間違いがあったらお許しください）。かつてゲーム機器の世界に参入しようとして、土壇場で任天堂に袖にされた経験を持つ同社は、その分野にトラウマが残ったと言います。

経営陣の前では「ゲーム」の「ゲ」の字も言えない。それでも、ソニーに画期的なゲーム機が必要なことは、次代をきちっと読んでいる人には理の当然。それで極秘で開発が進められたそうです。

ようやく試作品ができたものの、経営陣にそれを見てもらう機会がない。社長の大賀典雄さんのスケジュールを調べ、ほとんど拉致するようにして試作品の前に座ってもらったそうです。

面食らう大賀さんにスタッフたちは、ここが戦場とばかりにソニー製ゲーム機の説明に躍起となりました。結果を言えば、この暴挙をきっかけにして、本格的なプロジェクトが発進するわけですが、社の方針に逆らってでも、自分たちが必要と思うことをやる。これは考えてみればとてもリスキーなことですが、そういう人々の熱いエネルギーが結集した製品でないと、世の中を動かすことはできないと思うのです。

日清のカップラーメン開発の話も印象的です。

麺をどうするか、ナルトは、ネギは？　ものすごい試行錯誤の末に製品が出来上がるのですが、おもしろいのは誰に買ってもらうか、ターゲットが決まっていなかったということです。

あちらこちらと営業をかけるものの、ちっとも売れない。この製品は駄目なんだろうか、と諦めかけていたとき、深夜、工事現場で働く人々を見て、「これだ」と思いつく。あるいは、深夜遅くまで煌々と明かりをつけて働く、大きなビルのサラリーマンたち。彼らをターゲットに売れればいい、と路線が定まります。

これも実にリスキーな開発話です。今の世の中ではマーケティングのない製品開発などありえないのではないでしょうか。でも、思うのです。どうしても作りたい、世の中に出したい、と思ったその気持ちこそが、何よりも勝ると。

第2章

セールスは結局、自分を売っているのです

販売に奇策なし、の本当の理由

販売に奇策奇略はないと私はいつも言っています。

車の販売業界はその製品が大へん魅力的ですので、どうしても商品力に頼りがちになります。TVコマーシャル、新聞雑誌の広告にしても、およそかっこいい、美しいといわれる類は車の広告に多いはずです。

ダイレクトマーケティングも得意ですし、情報技術の時代、営業用のツールも充実していて、最新を行っているのも間違いはありません。自動車は購入していただいてからのメンテナンスが重要ですから、顧客の囲い込みもしやすい。打って出る営業ができるわけです。

スーパーマーケット業界だと通常こちらから出向くという商売ではありません。どうしても待っていなければならない。ですから来店していただくためには商品は魅力的に、品揃えもタイムリーに売り場になくてはなりません。店員の接客もきわめて重要です。お買い物籠にお客が品物を投げ入れる時代は終わり、店員はきっちり品物の説明もできなくてはいけません。お店によって商品の違いはそうはありませんから、差別化するのが難しく各社、少子化、単身世帯に合わせた食料品の開発が盛んです。

車もそうですが、マスで広告宣伝を莫大な費用をかけてやってもそうそう売れなくなっています。車はスーパーにある商品よりはるかに高額ですし、ずいぶんと差別化できているとは言いながら、各社そう性能の違いもなく、品質もよく、技術は伯仲しています。

そんな中でどう売るかです。どんな魅力的な新型車も年月の経過とともに人気は薄らぎます。そうなると日ごろの倦まず弛まずの顧客サービスが大切になります。お店の雰囲気、受付の接客態度など、日常的なことがかなりのウェートを占めてくるようになります。

車の販売は購入していただいてから本当の仕事が始まるわけですが、ここは地道な仕事の積み重ねなのです。

こう考えてみたら分かりやすいと思います。ある特徴的なラーメンを看板にするお店。初めはもの珍しさで客は集まりますが、ある程度、知れ渡ると、味がいいことはもちろん、店の雰囲気、主人のホスピタリティなど日常的なことがかなりのウェートを占めるようになります。

毎日のちょっとしたことを手抜きしていくと、気が付かないうちにお客の足が遠のいていきます。どことはっきり分からないのですが、全体としてルーズな感じがお客に伝わってしまう。壁が薄汚れていたり、椅子の革張りに小さな穴が開いていたり……。

私たちのビジネスでも、ショールームは本来、お客様を迎え入れるためのものなのに、時に営業マンの詰め所のようになっているのを見かけることがあります。少なくない額のお買い物をしていただくのに、あの構えはないでしょう。

ということで、私はショールームの改革に乗り出しました。

説明過剰なPOPスタンドをどける。その分を、お客様にはセールスのこころと言葉でお伝えする。主役の車が映えるように、ショールームに季節感を演出して、美しい絵や花を飾る。お客様がお座りになるソファー、時に腰が落ちて膝が上がってしまうようなのがありますが、ほどほどの固さで疲れないものに替える。お飲み物はお茶、コーヒー、紅茶をご用意する。

年に1回イベントを催す。とにかくショールームはお客様のものだというのを、ことあるごとに意識することで、日常の緊張感を保つようにしていました。

イベントなどは奇策の部類に入るのかもしれませんが、私のショールーム哲学から言えば、ごく自然な発想でした。文字通り〝Show Room〟なのですから。

立志伝中の人の話を読むと、どうしても〝奇策〟〝奇略〟の話が多くなりますが、それはそのほうがおもしろいからそれを中心に書いているわけで、最も大切なのは、日常の中で新鮮な思いで仕事をしていく、という姿勢です。

「販売に奇策なし」というのは、奇策をするなということではなく、奇策の後のことに腐心せよ、ということです。

マーケティングでモノは売れない

ちょっと大胆な言い方ですが、私はマーケティングでモノは売れないと主張してきました。マーケティングの手法は時間をかけて練り上げられてきたもので、それなりの実績のあるものなのでしょうが、市場調査をして売れる売れないが分かるなら、世の中はベストセラー商品だらけということになります。

冷蔵庫や掃除機のバージョンアップなら、ある程度、ニーズがつかめるかもしれませんが、たとえば本のベストセラー。『バカの壁』という本が395万部（2005年4月末）。ナンバーワンは黒柳徹子さんの『窓際のトットちゃん』で580万部。狙ってベストセラーが出せるのであれば、どこの出版社も大企業に変身ですが、そういう現象は起きていません。

新書がいま乱戦状態で、20種以上あると言います。読者カードなどで読み手の年齢層を探っていくと、新書市場を支えているのは50代以上の男性ということになるそうです。

よってその層を狙った企画を立てると、当たる確率も高くなる？……と言えるのかどうか。新書で売れている本は女性が部数を押し上げたとも言われているそうで、中高年男性が主だからとそこだけ狙っていくと、あまり大ヒットに結びつかないらしいのです。

これくらいのことは、あえてマーケティングをせずに、おおよそ自分の頭で考えて見当がつきそうなことです。若い人は携帯、ゲームで本にはお金を使わない。世の中全体に高齢化に向かっているのだから、新書の購買層もそちらへシフトしていくのは当然のこと。

つまりマーケティングで確かなのは、そういった基礎的なトレンドに関してであって、個別のモノの売れる売れないは、神のみぞ知る、です。

「おひとりさま市場」という言葉をご存じかと思いますが、都市部の女性の未婚化が進んで、一人で食事をしたり、買い物したりする機会が多くなったことを指します。

ちょっと細かい数字を挙げると、いま30代前半の未婚率が男42・9％、女26・4％。30代後半が男25・7％、女13・9％。85年に比べて女性は2倍以上になっています。

これが都市部になるともっと顕著になり、東京23区では、30代前半で男が55・8%、女40・6%。30代後半で男34・2%、女が24・6%です。

電通の調査では、独身男性は「逃避的ひきこもり系」なのに、女性はショッピング、カフェ、芝居、コンサートなどに一人で出かけている。

そういうシングル女性向けのマンションが売り出されたり、外食チェーンができたり、ホテルの宿泊プランができています。

雑誌などでも「女性がひとりで行く京都」のような特集を目にすることが多くなってきました。

こうやって数字を並べると信憑性があるように思えますが、若者の未婚率が高くなり、男性より女性のほうが生活をエンジョイしているという基礎的なトレンドを知っておけば、あとは自分の仕事との関係でその情報がどう生きてくるか、あるいは生かすべきかを考えればいいのです。

売り手の立場からすると、売りのポイントのはっきりしたモノ、それでいて複合的な魅力を兼ね備えているモノ、購買層の設定がきっちりしたモノ、そしてトレンドをつかまえているモノが売れるという実感があります。

買い手の生活にフィットするものがヒットする、とまとめることができるかもしれません。

昔、洗濯機・掃除機・冷蔵庫が〝3種の神器〟と言われた時代がありましたが、もうそういう生活必需品が消費のトレンドの前面に出てくることはなくなりました。

生活にアクセントを加えたり、生活を楽しく感じさせたり、生活に余裕や潤いを与えたりするモノが、売れる時代になってきました。役立てばいい、丈夫であればいい、といった実用本位の考え方だけで、消費者はモノを買わなくなったということです。

〝おひとりさま市場〟とは〝ライフスタイル市場〟ができつつある、ということです。介護や福祉なども大きくとらえれば〝ライフスタイル市場〟と言えるかもしれません。

われわれ営業は個売業

部下の男性と一緒に行った、小さなカウンターだけの焼き鳥屋さん。お客は8人も座れば一杯で、1人1時間と座っていないで、次の客と交替です。

カウンターの中に焼き専門のおじいさん、その奥さんらしいママさん、そして手伝いのお兄さんが1人。飲み物1杯と焼き鳥4本を頼むのが最低の決まりになっています。

週に1、2回顔を出すそうで、扉を開けると、「お帰り」とママさんから声がかかる。まず、それが嬉しいんだ、と言います。狭い椅子に座ると、すぐにおしぼりが出て、「どう胃の調子？」と言ってくる。そのタイミングが何とも絶妙でした。まさに独身の彼にはわが家に帰った感じがするのでしょう。

お勘定がすんだあと、店のママさんが言いました。

「お気をつけて行ってらっしゃい」

1日の疲れが吹き飛んで、さあ本当のお家に帰るぞ、という気分になると言います。

私は、儲かるお店というのは、よくお客のことを見ているなあ、と思いました。「胃の調子どう?」とすっと出るところなど、さすがです。相手のことを思っていないと、即座にそういう言葉は出てきません。

あるときなど、「海外出張、明後日だよね」と声を掛けられて、「よく覚えてるね」と感心していたお客もあるそうです。カウンターの中のママさん、相当のやり手、というか生きたコンピュータですね。

私は顧客の一人一人の情報をできうるかぎり頭に入れておくようにしていました。先のママさんのように当意即妙とはいきませんが、「いつもあなたのことを考えています」というニュアンスが伝わるような営業をしたいと思ってきました。

もちろんPCで顧客管理もしていましたが、大事なのはこころと頭に保存して、いつでも使えるようにしておくことです。

顧客はたった1人の〝個客〟として扱われたとき、じわっとした喜びを感じるものです。飲み屋さんの常連のよさはそこにあるのではないでしょうか。まるで家族の一員のように店のマスターやママさんが、身体のことや会社のことを気遣ってくれる。それが何よりもよくて、あまり料理はおいしくなくても（失礼）、毎日、店に顔を出さずにいられなくなるのではないでしょうか。

私どものように突然、お客様がお越しになるような仕事と違って、事前に今日は誰それに会うと分かっているような営業なら、いくらでも個客情報を用意していけるはず。現場ではかけがえのない個客として接しているのだという雰囲気を、常に醸し出していたいものです。

もう1つ、セールスする側も個人、というお話をします。私はセールスを始めた最初の頃に飛び込み営業を繰り返したわけですが、相手に私が誰かを素早く分かってもらわないと、玄関の戸をぴしっと閉められてしまいます。

そこで、相手の目線の先に自動車のパンフレットを持ち、服装はあくまで清潔に、笑顔を絶やさず会社名をはっきりと言い、どこそこ営業所の者だということを明確に伝えるようにしました。会社名はビッグでも、どこか遠いところから来ているのでは、親近感が湧きません。

私が女性だということもあって、相手の警戒心は男性ほどではなかったかもしれませんが、素早く相手の疑心暗鬼を払うにはどうしたらいいかと工夫をしたものです。

そこで思ったのは、営業は自分を売る仕事だということでした。つまり個売り業なのです。顧客も個人なら、セールス側も個人。きっとそういう関係にまで行かないと、営業って実り多いものにならないのではないかという気がします。

これから生まれる新商品も、きっとその人一人だけのもの、というコンセプトのものが増えていくのは間違いないと思います。もちろんみんなが持っているから私もと思わせる商品も無くなりはしないでしょうが、少子化が進めば進むほど、個別化商品が主流になっていくような気がします。小売りは〝個売り〟になるのです。

アメリカでは個人発注の特別仕様のバイクを作るビジネスがあるそうです。ガソリンタンクから何から手作りで仕上げていく様子をテレビで映していました。あれって究極のビジネスね、と思ったものです。

子どもに高級車を売る？

何かで読んだのですが、本田宗一郎さんは銀行に融資の話などで出かけるときも、アロハシャツで出かけた、とのことです。銀行員も本田さんと知っていれば、それなりの対応もしたでしょうが、さて始めはどうだったでしょうか。

私の経験では、短パンにサンダルでやってきた若い男性客で、高級車を即決で購入なさった例があります。地元の大地主のご子息でした。

あるいは、こんな例も。

小さい兄弟でショールームにやってきて、キャッキャッと言いながら車を見て回っている。こういう場合、男性のセールスはよほどのことがないかぎり見て見ぬふりをします。目に余れば、外につまみ出す気でいます。

私はジュースを飲ませてあげて、展示車に座らせてあげました。そこで、こんなことも言いました。

「おばちゃんはずっと車のセールスをやっているから、大きくなったら車を買ってね」

2ヵ月程して品のよいご夫婦が私を訪ねて来られました。聞けば子どもたちのご両親。子どもが喜んでいたとお礼を言われ、替え時期だからと1千万円以上の車を買っていただきました。

本当に誰がお客様になってくださるか、分からないものです。それを肝に銘じて、お客様には分け隔てなく接する、というのが私のセールスの基本です。

新宿支店の支店長をしているときに、ある著名な女優さんがお越しになりました。ノーメイクでしたが、それと分かる雰囲気を持っておられる。プライベートなご用で来られたのでしょうから、こちらも店内にお出でのときは、ほかのお客様と同じに接します。

カタログを持ってお帰りになろうとしたので、エントランスホールまで追いかけて、名刺を渡しました。出演作の名前を言って、「わくわくしながら見てました」とウソのないところを申し上げる。

この最後のアプローチを、なかなかやろうとする人がいません。もちろんお客様のご気分を害するようなやり方は御法度ですが、ある程度、お買いになる意志があって、営業の1人とでもつながっていれば、あとあと便利だとお思いになる人もいるはずです。そこを読み取って、失礼にならないと判断したら、ちょっと踏み込んで営業をするのです。

これは有名人だからそうしているというのではなく、誰に対しても一歩踏み込んだ営業が必要だと思えば、臨機応変に実行することにしています。

おかげでその女優さんからお友達のご紹介を受け、のちにはご本人からもお買い上げをいただきました。もし、あそこで私が声をかけていなかったなら……さて、どうなっていたでしょうか。

お客様を差別したり、区別したりしていると、その姿勢が身について、どうしても素直な営業ができなくなると私は思うのです。すぐに相手に対して体が動かないで、ちょっと観察するような間ができてしまう、ということです。その感じというのは、お客様は敏感に感じ取っておられるのではないかという気がします。

オードリー・ヘップバーンの「ティファニーで朝食を」という映画をご存じかと思いますが、10ドル以内の値の張らないものが欲しい、と彼女がティファニーの年配の店員に言うシーンがあります。その店員は、鷹揚な態度でピンのような形の電話のダイヤル回しを勧めます。それが6ドルちょっと。それではあまりにロマンチックでないので、一緒に行った男性がお菓子の景品の指輪を差し出し、それに名前を入れてもらえるか、と尋ねると、「当店はもの分かりのいいお店です」とその店員が答えます。しかも、明朝までに仕上げる、と請け合います。

私はこの映画を見たとき、本物のサービスって、こういうことを言うんだろうな、と思ったものです。決してお客を差別しない、お客の気持ちを逸《そ》らさない――これって簡単なようでいて、けっこう難しいことなのです。

あのシーンでティファニーの名声は、いやが上にもあがっただろうと私は思います。ああいうところで自分の欲しいものを探してみたい、と自然にそう思います。

売れない人ほど〝逃げ場〟をたくさん用意している

モノが売れない、買うモノがない、と言われて、さてどれくらい経つものか。

たしかにどこの店も、置きさえすればモノが売れた時代がありました。それにひき比べて、いまは勝ち組、負け組がはっきりしています。

営業の仕事が世の景気に左右される面があることは確かですが、さて売れない理由をそれだけのせいにするのはどうか。

先日もタクシーに乗ったら、元サラリーマンの初老のドライバーが、規制緩和で競争業者ができたせいで、給料が下がったと不満を洩らしていました。

私は、「でも、それであなたもこのお仕事に就けたのでは?」と申し上げたところ図星らしく、「そうなんですけど……」と割り切れない様子でした。

よく規制緩和は「総論賛成、各論反対」と言われたものですが、自分に火の粉が降りかかってくると反対に回るのが普通らしく、それをチャンスとはなかなか考えないようです。

作り手、あるいは供給側の問題を考えてみます。

たとえば、企画畑の人が自分のアイデアがうまくいかない理由を、時代や市況のせいにするのは、論理的に言っても間違っています。こういう売れない時代、財布のヒモが固い時代だからこそ、この企画でどうか、と提案するわけでしょうから、不成功に終わったからと言って、外部環境のせいにするわけにはいきません。

あるいは、メーカーでも事は同じでしょう。トヨタが1兆円超の収益を上げて話題になっていますが、モノが売れないと言っても、勝ち組がいるのは確かなのです。

モノ造りでも、結局は時代や市況を読んで、新製品を投入するのでしょうから、売れない理由を時代や市況のせいにするのは、間違いということになります。

本人にとって失敗は痛手で、とても辛いこと。

しかし、それを次のステップのチャンスと捉えないかぎり、成長はストップしてしまいます。月並みですが、失敗は成功の母と肝に銘じるべきです。

ここまでは供給側の問題、では売り手の私たちはどうか。

モノが売れないとき、市況と時代、ひいては製品・商品が悪いからと、すぐに言ってしまっていいのかどうか。それでいて、売れれば自分の手柄にするというのでは、話の帳尻が合いません。

少なくともいつでも工夫をしてモノを売ってきた人は、不振の理由を市況や時代、製品や商品のせいにするのは、自分の負けだと考えます。

外部環境のせいにするのは、よほど工夫をしたあとにすべきだという考えです。

営業は成績不振をほかの理由に転嫁できる余地が、いつもあります。逃げ場の誘惑がいつもあると言っていいかもしれません。店の立地が悪い、住人の客層が違う、競合店が多い……売れない理由はいくらでも挙げることができます。

たしかに売れない理由は複合的なものかもしれません。しかし、モノを売るために、十分に知恵を絞り、工夫をし、体を動かしたでしょうか。ほかに責任転嫁する前に、自己点検を厳しくすべきだと私は思います。

自動車販売では人気モデルも年月が経つとどうしても販売が落ちます。そこでお客様の要望を取り入れた特別限定車の発売をします。しかし、メーカーが企画に力を入れた自信作なのに今一歩売りが伸びない時がありました。店によってバラツキがあるのです。

営業マンは企画がはずれたと思っています。ところが、店舗を回ってみると、成績の悪い店はその車がショールームの一番目立たないところに飾ってありました。お客様の動線を考えた工夫をしていないのです。ショールームでの展示の仕方で販売の優劣が決まることがあるのです。お客様のおもてなしの場に何も工夫がない、というのがそもそも問題です。モノを売る現場の大切さを営業マンが自覚していないのです。

売れないことをほかに責任転嫁する癖がつくと、本当に活力のない営業しかできなくなってしまいます。ここは踏ん張りどころで、売れないのは全部、自分のせいだぐらいに思って、戦略の立て直しをしてみてはどうでしょう。

失敗しても、全責任は自分にあると思えば、壮快な感じもしてくるはず。

売れない時代だからこそ売ってみせる、という意気込みが大事。

このアクティブ・マインドを忘れるわけにいきません。

売れない営業の共通点

営業は明るくあるべし、というのが私の基本です。本来、ショッピングというのは楽しいものであって、その窓口である営業がトーンダウンした様子で応対するのはよろしくありません。

どうも暗くなりがちという人はワイシャツやネクタイを明るい色にして気を引き立てるようなことも必要です。

それとお客様を見かけた時点で、大声で挨拶をしてしまうと、その後のノリが違います。ふだんから挨拶するのは当然としても、気分が落ち込みかげんのときは、より大きな声を出して、自分を発奮させること。

買う気をそぐのは、ちょっと身を引いたような感じで、お客を観察しているような様子を見せる営業マンです。本人はしつこくしたくないと悪気はないのでしょうが、お客とすれば不快な気持ちがします。

もっと最悪は、お客の言うことをすべて否定しようとする営業マンです。自分はもの知りだというプライドがあり、何か言うとすぐ、「いや違いますね」とやってしまうわけですが、これでモノが売れたら、不思議です。

その反対に、何を聞いても「お客様のおっしゃるとおり」で通してしまう営業マンも、お客とすれば頼りないかぎり。うるさく専門的知識をふりまくのはマイナスですが、ポイントでお客様の欲している答えを的確に提供することは必要です。

あと早口で発音の悪い人は、できるだけゆっくり話すように心がけたいものです。相手が聞き返したり、どうも理解していないように見えたら、あなたの話し方に難があるのかもしれません。

自分のセールストークに酔ってしまうような人もいます。そういう人は弁舌さわやかでも、相手の心に届いていない、ということが往々にしてあります。

話し始めてすぐにタメ口になる営業もいますが、これもバツ。お客様はあくまでお客様であって、友達ではありません。

夏の暑いときにクーラーが壊れたとします。お客とすれば今すぐにでも買って取り付けたいという気持ちで店頭にやってくるわけですが、

「それはお困りですね」

のひと言があなたの口から出るか出ないかが、グッドセールス、バッドセールスの分かれ目です。それが、のっけから

「いやあ、この暑さで取り付けが間に合わないんですよ」

とやられたら、「別を探すよ」となってしまいます。

営業の現場というのは、微妙な心理の綾で織りなされている、と感じることが多いのですが、そういうセンシティブな要素は女性のほうが強いという気がします。あるいは、男性セールスでいい成績を上げている人は、どっちかと言うと女性的な感性を持った人だとも言えます。

タクシーの世界にも競争が導入されて、ぶすっとして何の返事もしないマナーの悪い運転手が少なくなりつつあります。サービス産業なのに、かつては客を乗せてやっていると勘違いしていたのです。

昔、自動車教習所の教官も悪評さくさくでした。お客があって初めて成り立つサービス業なのに、何を勘違いしたのか、生徒に横へいな態度をとる教官が多かった。

日本の営業の現場は大きく変わりつつあります。サービス合戦の様相さえ呈してきています。

数年、アフターサービスでトップを続けてきた会社が、他の企業の急追で、トップの座を明け渡すようなことも起きています。

私は販売業は100％サービス業と言っていました。いかに相手よりいいサービスをするか、そこでしのぎを削っているわけで、あなたも先頭を切って、自分の営業スタイルを革新していってほしいものです。ビジネスの勝敗はサービスにあり、です。

売れる人の共通点があった

同じモノを売っていても、より多く売る人とそうでない人がいます。この違いはどこからくるのでしょう。私が見聞した話を紹介します。

中央線のある駅で人を待っていた時の話です。駅頭でチラシを配っている若い男性と、ティッシュを配っている若い女性がいました。駅の改札を出て、右に女性、左に男性です。普通に考えれば、人あたりの良さそうな女性のほうが分が良さそうに思えます。

ところが、どう見ても若い男性のチラシを受け取る人が多いような気がしました。それはどうしてなのか、時々視線を向けて、違いを見つけようとしました。

明らかに違うのは、女性のほうが人の流れに正対して、言ってみれば邪魔になっていたということです。駅からどっと客が出てくると、彼女はそれに正面から向き合う。その波が静まると、今度は逆向きになって駅に向かう客に正対する。

皆さんも経験があるでしょうが、自分の進む先にどしっと人が立っていると威圧感があるものです。

ところが、チラシ配りの男性は人の流れを読んで、微妙にポジションを変えて、結果、ちょうど人の流れが少し湾曲したようなところに位置するようにして、チラシを配っていることに気づきました。

しかも、客と視線が合わないように、ややうつむき加減でした。

小降りの雨が降ってきて、女性のほうはそれを汐にどこかへと引き上げて行きました。

若い男性は駅の屋根の中に入り、今度も人の流れを邪魔しない位置取りを続けながら、チラシ配りを続けました。

目線が合ったときに、思い切って尋ねてみました。

「さっきから見ているんですが、実にいい確率で人があなたのチラシを受け取っていきますが、何か特別なことをしているようにも見えないのですが、どうしてなんでしょうね」

その若者が何と答えたか。

「誰でも面と向かって待っていられると、ちょっと欲しいなと思っても、あえて貰わないですよね。手渡ししている人間に、自分の思いを見透かされるような気がするんじゃないでしょうか」

「それで、僕はやや顔を下向きにして、人の足先が視線に入るのを見ているようにしているのです。圏内に入ったなと思ったら、すっと相手の手元にチラシを、触るか触らないかといった感触で近づけるのです。この手元にスッ、というのが大事な呼吸なんです」

「相手が反射的にチラシを握ってしまう、そのタイミングが手元にスッなんです。だからチラシもお尻のあたりに隠すように持っているほうが、より効果的です」

私は思わず、

「考えるものね」

と感心しました。若者は照れ臭そうな顔をしました。約束の時刻をだいぶ過ぎて待ち人がやってきたので、それで私の観察は終わりました。

私は優秀な営業マンは優秀な心理学者だと思うのですが、その若者はきっと様々な工夫をしながら、どうすればチラシを早く減らせるか、ずっと考え続けたのだろうと思います

(私は現場現場現場で働き手が進んで工夫する風土こそ、日本の最良な部分ではないかと思い

ます)。

そして、とうとう「手元にスッ」の真理を見つけたのです。その裏付けとして、駅の人の流れをきちっと読むこと、そして人々の心理を読むことなどが必要なのです。

この若者はおそらくどこへ行っても、モノをよりよく売る人になることでしょう。

考えて、工夫して、人を読んで、無理なく手渡す。

これはどこの売り場でも共通のことではないでしょうか。

「手元にスッ」は「相手の心にスッ」でもあるのです。

この〝弱い〟商品をどう売るか

車で燃費がいいと言うと、リッターあたりの走行距離が長いことを言います。つまりコストパフォーマンスがいいということ。

商品で言うと、値段の割に長持ちしたり、丈夫だったり、恰好よかったり、役立ったり、つまりお買い得ということ。

モノを売る場合、特徴があって、それがお買い得感と結びついていると、売りやすい。お客さんとすれば、〝儲かった〟という感じがするわけです。

値引きをしてお買い得感を演出することもあるでしょうが、そもそもの値段設定にお買い得感がある商品（製品）は強いと言えます。

セールスをする場合、自分が売っているモノが、そういう強い商品か弱い商品か、見極めておく必要があるでしょう。モノをより多く売るには、もちろん売るための技も必要ですが、自分が扱う商品の強弱を知っておく必要があります。

私はホンダではアコードをより多く売りました。これはとても強い商品でした。BMWでは3シリーズのリチェンジが強い商品でした。

フォルクスワーゲンではニュービートルがそれでした。

おかげさまでと言いますか、幸運の女神がついていてくれたのか、転機ごとにそういう強い商品に巡り合ったことで、いい成績を残すことができたと思っています。

では、自分の手元に弱い商品しかなかったらどうするか。

いまプロ野球では新球団の楽天イーグルスが苦戦を強いられていますが、戦力はどう見ても最強とは言えないでしょう。としたら、何を最優先すべきか。

私は守備、つまり守りだろうと思います。素人考えでも、大砲もいない、打線に厚みがない、となればいかに失点を少なくするかしか、勝ちに持ち込むチャンスはないように思います。

これを商品で言えば、たとえ並の売上しかないとしても、その売上を落とさない工夫をする、ということです。

そのうちにきっと強力な商品が、あなたの元に舞い降りてくるはず。しかし、それをじっと待っていてはいけません。

現場から積極的に提案をするのです。日々の営業活動のなかで、お客のニーズを一番把握しているのは営業です。もっとパッケージを目立つものにしたらどうか、蓋をあけるときにこういう工夫はできないか、ちょっとしたおまけが付いていると売れ行きが違う、発売1周年キャンペーンをやらないか……。

知り合いがスーパーの店頭で懐かしのおもちゃを見つけ、子どものために剣玉を買ったときの話をしてくれました。いかにもチャチな作りだったので心配だったのですが、店の若者が感じがよかったので買ったそうです。それに「もし壊れたら、あと3日はいますので、来てください」と言うので、安心でした。

案の定、買って帰った日の夕方には、首の部分がグラグラしてきました。ロウを溶かして簡単に接着したものだったので、すぐに壊れたのです。

翌日、くだんの若者のところに持って行くと、面白いことを言いました。

「最近は壊れないおもちゃばかりで、こうやって壊れるおもちゃは子どもさんの教育にいいとお思いになりませんか。昔はみんな自前で修理をして、長持ちさせたものなんでしょ？」

そう言いながら、彼は首の差し込み部分にセロハンテープを裏返しにしたものを円くして入れたそうです。それでお皿部分と棒の部分が接着されて、確かにグラグラが無くなりました。

「また首が動いたら、同じことをしてください。いつまでも使えますよ」

知人が、「その補強方法は、誰かから習ったの？」と聞くと、彼はこう言ったそうです。

「いいえ自分で工夫をしたんです。壊れやすくてお客さんには申し訳ないのですが、でも、考えてみれば、壊れるおもちゃのほうが壊れないおもちゃよりいいんじゃないか、と気づいたんです」

彼はその考え方で、かなりの数の剣玉を売ったそうです。これは弱い商品を強い商品に変えた卑近な例です（しかし実際は、不良品に近いものを売っていたわけですから、あまり彼のことを褒めるわけにはいきません）。

忘れてはいけない「できる営業の3要素」

営業に欠かせないものとして私は3つのものを挙げます。

1つは人が好きなこと（言い換えれば人に関心を持つこと）、2つ目は勇気を持つこと。最後は積極性。

まずは1つ目。フォルクスワーゲン時代のことです。定期的に営業所回りをしていました。

朝礼で挨拶した後、営業マンを集め「社長のワンポイントセールスアドバイス」なるものをやります。なにしろちょっと前まで支店長の職にありましたから、その辺は得意なところ。社長になっても自分の一番強いところを現場で使うべきと考えていました。

「この営業所に初めてのお客様が見えるとします。皆さんはその方を見て一番初めに何を感じ、どう考えるでしょうか」と私から質問。

「この人は修理のお客かな、それとも新車購入をお考えかな——と考えます」「新車のお客か、それとも中古車のお客かを考えます」。全員のセールスがこう答えました。

「皆さん、まずお客様個人に関心を持ってください。どこからお越しになったのか。若くて素敵なカップルだけど結婚されているのか。どんなお仕事か。今日は会社はお休みかしら。素敵なシャツを着ているな。そうやってまずお客様個人に関心を払う。そうすればもう皆さんとお客様との間では言葉を交わさずともコミュニケーションが始まっています」

次にお客様の良いところ、素敵なところをすばやく見つける。ほかの項でも書きましたが、それが〝褒め〟につながります。褒められて悪い気のする人はいません。自ずと心が通い合い、やがてスムーズな商談へと流れを容易に進められるのです。買うか買わぬか、いきなり商売相手と決めて身構える。これではお客様は楽しくともなんともなく、購買意欲もそがれてしまいます。

人が好きでなければ人への関心も持てないでしょう。人が好きだからこそ、相手を喜ばしたくなるわけです。もしあなたが人が苦手と思われるのなら、まずは街に出て人間観察をなさってみてはいかがでしょう。それぞれの人の持つなんとも言えぬ人間臭さを再発見し、人が大好きになるのでは。人に関心を持つというのはモノを売る人の最低条件です。

次は、勇気。これは主にノルマというか目標達成に関して、プレッシャーを感じない人のほうが営業向きだということです。

もちろん誰にもプレッシャーはあるのですが、それに怯んで立ち止まるか、勇気を出してはね除けようとするか、では大きな違いがあります。

私はホンダの頃から常に目標設定をして、それをクリアすることを課題にしてきました。すぐに達成できそうな目標では意味がないので、ちょっと無理かなというぐらいの高さにバーを置きました。

ナンバーワンになるにはどうするか、どの車種で1番になるか、など自分に試練を課してきました。不思議なもので、数字の設定をすると、それを達成するために何人のお客様に会えばいいか分かるので、恐怖感は湧いてこないのです。具体的に人に会っていけば、いずれその数字は現実化するのです。

最初に勇気を出して一歩前に出るかどうか、そこが大事です。踏み出してしまえば、人間はベストを尽くそうとするわけで、そうなれば売るための必死の知恵も出ようというものです。

どんな仕事でも勇気がないと、レベルアップしていかない——これは真実です。先を恐れて尻込みすれば、現状維持か、ずるずると戦線が後退するばかり。

少なくともプロの仕事人は、どこかで勇気を発揮して、一段高いところに自分を持ち込んだ経験のある方です。

最後は、積極性。勇気がここぞという時の踏ん張りとすれば、日常的な姿勢で必要なのは積極性ということです。ふだんの自分なら言わないこと、やらないようなことをすっとやる——たとえば女性のお客様の肩にさりげなくコートをおかけする、男性のお客様の背広の襟を直して差し上げる。

積極的であろうと努めれば、ほかの人が逡巡してやらずに終わるようなことも、自然にできるようになります。そのとき、あなたは一段レベルの違う営業になっているはずです。

年齢で売り方が違う

私は国産車を31歳で、輸入車を41歳で売り始めました。

その10年という開きが、いま考えればちょうどよかったような気がするのです。10年売っていればたしかにベテランですが、根の生えたようなベテランでもない。チャンスがあれば動けるベテランです。

若い頃の売り方は、ただひたすらエネルギーで押し通したような売り方でした。駅から自分の家に帰る道筋にあるお家が、どんな車をお持ちか、ほぼ把握していたので、もし他社の新車に変わっているのに気づくと、それこそ地団駄を踏んで悔しがったものです。

あるいは、電話で「すまない、よそのに決めたよ」と聞けば、すぐにそのお家まで飛んでいき、とりあえず思い直していただけるかを確かめました。

私は30代で車の世界に入ったので、たいていの人が20代で経験することを30代で経験したことになります。

やがて経験を積んでくると、強引なやり方は反作用も強い、ということが分かってきます。ですから、他社に決めたとおっしゃっても、「それはよろしかったですね」と逆にお客様の気持ちをサポートするような営業に変わったのです。

10年もやっていれば、リピーターも出てきますし、人脈もできて、その紹介でお買い上げいただくことも増えてきます。外資に移ったのは、そういう蓄積がかなりできた頃だったのです。

もちろんホンダとＢＭＷでは客層が違いますが、培った人脈はいろいろなかたちで生きてくるものです。ですから10年選手が車を売ると、だいたい既納客、新規、紹介が３分の１ずつの感じになります。

これが40代の売り方です。

50代になると、電話１本で話が決まるようでないといけません。ＢＭＷでは、あるお客様に最初に５シリーズを買ってもらい、次に７シリーズという最高級の車種をお買い上げいただき、それ以上大きな車がないので、サイズを小さくし３シリーズの限定車をご購入いただき、再び新型の5シリーズをお買い求めいただきました。

この人はお客様なのか、お友達なのか、境界がはっきりしません。私の記事が新聞・雑誌に出るとわが事のように喜んでくださいます。

よくセールスの本を開くと金科玉条のようにセオリーが書いてあったりしますが、年齢でも売り方が違うわけですし、一概に言えるものではありません。

それとこちらの年齢が増すほどに、相手の心理が見える、ということもあります。若いときは、自分のペースに持ち込もう、持ち込もうとするあまり、相手の本当のニーズが見えていない、ということが往々にあります。

それが年の功を重ねると、ちょっとしたお客様の表情のなかに意味を汲み取れるようになります。おそらくそういうことも相まって、営業成績というのは上向いて行くのだろうと思います。

ベテランの心理カウンセラーの方に聞いたのですが、なかなか自分のことを話そうとしない患者には、隣に座って目線を同じ方向にすると、安心して話を始めたりすることがあるそうです。

テレビドラマなどを見ていても、悩みを抱えている人の横にすっと誰かが座り、しばらくの沈黙のあと、その悩みを徐々に打ち明け始める、というシーンがあります。

おそらくベテラン営業マン、あるいは成績のいい営業マンは知らず知らずにこの〝隣座り〟を実行しているのではないかと思います。若いうちは言葉や動作をフル回転して営業するわけですが、ベテランともなると〝沈黙〟さえ武器にするのです。

若い方で自分はセールスの才がないかもしれない、と危惧している方も、年の功を重ねて、心理読みの抜群にうまい人に変身するやもしれません。そうなると、自然と成績も上がってきます。

焦らず、驕らず、お客の隣に座り続けること。それが営業の基本です。

営業ツールはたったこれだけ

最近は、小さな端末に営業の仕事の細目を入れて、お客様と商談がすんだあとに、営業の達成度を確認するソフトがあります。営業の現場で多く採用されています。

営業という目に見えにくい仕事を外部化したという意味でも、画期的なことではないかと思います。

その開発者が宋文洲日本ソフトブレーン会長。氏の持論は次のようなものです。

「日本の製造工程は素晴らしく効率的で、品質管理もしっかりしている。なのに営業は恐ろしく非効率的なことをやっている」

そして指摘するのが、誰も読まない営業日報、同じ客へのバッティング、個人プレーに頼った営業――たしかに耳の痛い話ですが、幾分か異論があります。

誰も読まない営業日報――これは本人の確認のため、あるいは備忘録として必要だと考えてはどうでしょう。あるいは、まさに情報の共有化ということで言えば、フォーマットを決めてデータ化し、全員がパソコンで見られるようにしたらいいのではないかと思います。しかし、いかなるデータもそれを読む本人の意欲がないかぎり、死んだ情報にしかなりません。

そういう意味では、マネジメントクラスの人が常に営業日報に目を凝らし、大事なサインが見つかれば、それを朝のミーティングなどで指摘するようなことが必要ではないかと思います。

「昨日のA君の日報ですが、どこそこのお客の流れがBモール誕生で変わったとのこと。これ、大事な情報なので、営業会議で取り上げたいと思います」

こういう意識付けを随所でしておくと、死んだ日報も生き返ろうというものです。日々の何気ない情報をどう読むか、中間管理職の必要性はこういうところにもあります。

次のバッティング、これもマネジメントの問題。それぞれの営業マンから報告を受けているはずの管理職が、ダブりを知らないということ自体が由々しいことです。

最後の個人プレーに頼った営業。私は決してこれが悪いとは思えません。ただし、個人が勝手し放題にやる営業という意味なら問題です。情報と目的を共有したうえで、あとは個人技を発揮する、というのがいいでしょう。

データというのはあくまでこちらの利用の仕方で生き死にするものです。

たとえば、ここ3年以内にお買い上げのない方をリストアップするのは、そろそろセールスをかけるべきお客様を拾い出したということ。ただ名前をリストアップしても意味がありません。

あるいは、10年越しのお客様のラインアップをするのは、長年ご愛顧をいただいているお客様限定のイベントを行うための材料が必要だからです。

私のやり方は基本的にアナログ型の営業で、新しいツールを駆使しても、最後は直接の対面だと思います。

営業は煎じ詰めれば「心を届ける」のが仕事ですから、携帯メールより電話、電話より手紙、手紙より直接顔を合わせること、それが大事なのです。

私が電話をかける場合、なるべく用件を短く話すようにしています。相手がどういう事情のもとで電話をお受けになったかが分からないので、心配でしょうがないのです。

人からかかってきた電話は、たとえセールス電話でも、私を名指した電話であれば、必ず自分で出るようにしています。飛び込みセールスをやってきたせいで、そういう電話をむげに断れないのです。

相手に何かの事情でお断りをする場合、決して秘書を通してではなく、自分で電話をするようにしています。原稿依頼、テレビの出演依頼でも、基本的には自分でお断りの電話をします。そのほうが真意が伝わると考えるからです。

これ1つとっても、いかに私がアナログ型かお分かりになったことと思います。でも、デジタル型だけで営業ができるとは、どうしても私には思えないのです。

目標は高めに設定するのがミソ

人間には2種類の人がいます。黙っていても自分で努力する人と、普通に楽しく生きられればそれでいいという人です。簡単に向上心のある人とそうでない人と分けることもできます。

どちらがいいという話ではなく、生き方の違いです。努力派が楽しみ派のマネをしても辛いだけ、その逆も真なりです。

私はどちらかと言うと前者タイプ。でも、促成でそうなりたいと考えるのではなく、時間をかけて熟成していきたいと考えるタイプ。そういう意味では、楽しみ派とどこか通じる部分があります。

今では〝夢〟のレベルまで目標設定ができるようになりましたが、自動車セールスの仕事を得るまではそうではありませんでした。セールスマンとして実績を積み仕事に自信を持ったときに次の夢が見えてきたのです。もちろん夢は不変のものではなく、自分の成長度によって違ってきます。

ＢＭＷではホンダの経験がありましたから、2年目にはトップになると目標を定めました。上位2名はドイツ本社に招待されるので、それはさらに具体的な目標となりました。結果2年目に夢は叶えられました。

目標を明確に設定すると、もし達成できないときでも、自分の足りない部分をレビューするのに役立つのです。人は自分のことを甘く見がちですが、目標設定を厳格化すれば、そういう曖昧さはなくなります。

たとえば5シリーズで目標を達成できたが、7シリーズでうまくいかなかったのはなぜか、と反省する材料として、目標設定は大事なのです。

私は1年ごとに目標を設定しました。ですから月々のマイナスはどこかの月で補足すればいい、と心理的には楽になります。

目標をどのレベルに置くかというと、私の場合はジャンプしたぐらいでは届かないところに置きます。自分の力の限界を知る意味でも、あるいは自分の限界を押し広げる意味でも、より高い目標設定は大事になってきます。

目標が達成できないときでも、その結果から目をそむけないことが大事。というのは、目標設定は、自分の意欲をかき立てるばかりか、次の一歩を踏み出すための具体的な材料を集めるためにやるのです。

不思議なことに、いい仕事というのは、どこか限界を超えたものです。結果を恐れず、自分の可能性を信じて突っ走るから、思いがけないほどの成果を得られるのです。プロとは1度、2度は限界を超えた経験を持つ人のことです。

私はかつてBMW車を1カ月で18台販売したことがあります。こういうときはお客様に会った瞬間からもうこの人は買うなと、商談が駄目になる気がまったくしないのです。怖いように売れたと表現してもいいでしょう。そこまでは地道な努力を重ねて、それがあるきっかけで一気に開花したのですが、それにしても人智を超えるというか、不思議な「気」が立っているようでした。

営業の仕事は華やかなときは一瞬です。仕事はすぐにルーティン化します。それに耐えることも大事ですが、しかしそれにばかりにとらわれないことも大事。ドラマチックな展開が思わぬところでやってもくるのです。おそらく全力で仕事に向き合うと平凡な日々の仕事もリクリエイトされていくのではないか。あまり結果を気にせず夢に向かって勇気を持って踏み出すことだと思います。

目標を設定したら、具体的にイメージトレーニングすることが大切です。半年後、1年後、トップセールスの栄誉に輝く自分をイメージすることで、日々の仕事に励むエネルギーを得るわけです。

商談に出向く車の中で、よく私は1人で、このお客様は絶対今日サインをしてくれる、と声を出していました。人様が見たら変に思われるでしょうが、本人は真剣でした。自ずと成功のイメージを作っていたのでしょうね。

クレーム処理で成長する

車を買う動機は、
1 デザイン
2 燃費・走行性などの性能
3 営業マン

という順番だそうです。営業マンがいくら頑張っても、**1**、**2**が充実、卓越していないと、成績を伸ばすことは難しい。しかし、営業のプロである以上、ずば抜けた**1**、**2**がなくても、売り伸ばす工夫が必要です。そして、人の力で売れるというのも事実です。

クレーム処理というのは、営業の仕事のなかでは一番後方にあるものかもしれません。できれば前線で元気よく、というのは営業誰もが求めることですが、実はクレーム処理は営業マンの販売力を付ける一番大事なところなのです。ふだんから足腰を強くしておけば、

１、２に少し難があっても、どうにか切り抜けられるのです。
せっかく喜んで新車を買ったのに、じきに不具合が出る——これで一番がっかりしているのはお客様自身なのです。そのやり場のない気持ちをクレームというかたちで表すわけで、好きこのんで電話してくるわけではありません。

電話で怒鳴られても、とにかくお客様のもとに参上すること。「来なくていい」という人もいますが、顔を出して玄関払いになったことはありません。少なくとも電話のときよりは冷静に話をしてくれます。

とにかく相手の気持ちが収まるまで謝ること。怒りが静まらないかぎり、解決策という か着地点が見えません。

私は根が楽天的なのか、人間関係は最悪のときが〝深掘り〟のときだ、という考え方です。お互いに裸の気持ちが出るので、そこでうまく行けば、あとはどうにかなる、と考えるのです。

自分が人を怒鳴るときの気持ちを考えてみてください。自分の本質的な部分をさらけだすようで気分がいいものではありません。それなのにお客様は本気で怒ってこられるのです。私はうそ偽りなしで、その姿が切なく愛おしい、と思ってしまうのです。その人のために何かして差し上げたい、と心底思います。

怒りを爆発させる人に悪い人はいない、とも私は思います。爆発するとあとはさらっとなさる方が多いという印象です。

幸いなことに、私のクレーム処理は大半がハッピーエンドに終わりました。一番傷ついているのはお客様だと分かれば、クレームごとに対応が見えてくるはずです。

もう1つ大事なのは、クレームにはビジネスヒントが隠されている、ということ。生活必需品を扱っているような企業では、クレーム受付窓口を拡充して、丁寧にお客様の声を拾うようにしています。製造・販売段階では気づかなかった、ユーザーの立場からの貴重な意見です。次の製品改良に使えるのはもちろん、新製品開発のヒントも隠されているかもしれません。

営業とすれば、クレーム対応がうまくできるようになったら、一人前と言っていいでしょう。攻めの営業に守りの営業が一枚加わるわけですから、自信がつくのが当然です。

それを面倒なこと、わずらわしいことと逃げていると、せっかくの成長の機会を逃してしまうことになります。

最近、事故や事件を起こした企業が、その後の対応のまずさからお客様の信頼を失うケースが増えています。テレビ画面を通して、視聴者はうそ偽りがないか、実に厳しいチェックをしています。誠意がないと見れば、商品ボイコットなどの具体的なやり方で反省をうながすこともします。

インターネットの普及で、ますますこの種の動きが加速されていくという気がします。それは市場の主導権が消費者に移りつつあるということではないでしょうか。

クレーム処理は、企業や会社の命運を左右する大事な局面なのです。打たれ強い営業になるためにも、進んでクレーム処理をするべきでしょう。

落ち込んだときはお客のところに行く

人には感情の波があり、躁鬱ほどではなくても気分の上がり下がりはあるものです。人はそう強いものではなくて、社長でもその日の秘書の機嫌が悪いと、なにか気になります。秘書から見れば社長のわがままはもっと大変でしょうが。朝、鷹揚に新聞を広げている部長も、通りかかる女性社員の顔色が気になるもの。ましてや仕事がうまく進まなかったり、販売実績が悪かったりすればひどく落ち込みます。まあ何とかなると自分に言い聞かせても、カラ元気なのがよく分かります。

私も営業マン時代は何度かスランプがあり、気分が落ち込んだときはどうしたか。必ずお客様のところへ行きました。営業マン人生のスタートが1日100軒の飛び込み訪問で、雨にもマケズ、暑さ寒さの中で一生懸命出かけていくと、お客様に同情されたり、感心されたり、励まされたりするとそれだけで嬉しくて、次のお宅への足取りが軽くなったものです。本当に人はなんらかの形で人に支えられていると実感しました。

どうも今月はなにをやってもうまくいかないし、商談は空回り。そんなときは最も気の合う既納客のところを回るのです。気心の知れた、決してマイナスのことを言わない、自分とフィーリングの合うお客様から、何気ないいつもの言葉をもらうだけで、生き返ったような気持ちになります。

お客様はこちらの落ち込んだ気持ちは分かっていないのですが、「林さんは変わらないね。いつ会ってもエネルギッシュだよ。熱いよ」。そう励ましていただくと希望が湧いてきます。

また立ち寄ったお客様に頼まれごとをしたりすると妙に元気になる自分を感じます。疲れているときは自分で進んでなにかをやる意欲が衰えているので、むしろ強制的にやらなくてはいけない状況は私にとって歓迎でした。とくに親しい好きなお客のためですから嬉しいものです。仕事のヒントは現場にあると言いますが、営業マンの妙薬はいつもお客に触れていることなのでしょうね。

でもまかり間違ってもこういう時は口の悪いお客様のところへは行かないこと。こちらも元気なときは持ちこたえられますが、落ち込んでいるときは鬼門です。

スランプのときは自分を思いっきり開放する。許すとでも言いましょうか、もうそう頑張らなくてもいいんだと言ってあげる。自分をうんと客観的に見つめて、労わるということが必要です。

車が売れなくてという時はお客様回りですが、そのほかいろいろ人生に悩みはつきものです。というか働きすぎると、疲労で自ずと考えがネガティブになります。

そのいい対処法を私は見つけています。休日は朝から浅草へ。雷門の地下駐車場に車を入れて六区にある松竹演芸場の木戸銭を払う。10時半ぐらいからの前座の話から、昼夜入れ替えなしですから夜の9時ぐらいまでいることもあります。3千円で1日中ではちょっと恐縮です。

落語、漫才、講談、声色、太神楽なんでもありで、こんな楽しい場所はありません。寄席ほどホスピタリティにあふれているところはないと思います。まずどんな芸人さんも必ず「本日はお暑いなかようこそのお運びを」から始まります。

昼に劇場のいなりずしを食べ1日頑張るお客がいたり、高座の真っ最中に前の席で居眠りする人もいます。周りの大笑いの声に起こされたところに、噺家が「お客さん、お休みになっててていいんですよ。どうかお気を遣わず。ごゆっくり」などと客席に声をかける。こんな芸人さんたちに本当に元気をもらうのです。好きな道だからやっておられるのでしょうが、日ごろの芸に対する努力は並大抵ではないようです。そんな人たちに触れていると、こちらもやる気が出てくるのです。

私は小さい頃から父親の芸事好きに影響されて、古典芸能なども大好きです。小学校の4年生のとき浅草に連れて行かれ、大衆演劇を見せられました。歌舞伎座もよく通いました。父の懐かしい思い出とともに浅草通いは続くでしょう。

ヘッドハンターと会って損はない

これまで私はいったい何回、転職したことでしょう。UFJから楽天に移られた山崎元さんのように10数回という強者《つわもの》もいらっしゃいますが、私が転職を重ねてきたのは、ある意味で仕方がなかった面が強いのです。

高校を出てまずは東レに入ったわけですが、女性活用などまったく考えていなかった時代のことですから、文字通りお茶くみにコピーのような仕事しかさせてもらえませんでした。

私はちゃんと一人前の仕事をしたい、と思っていましたから、どこへ行っても飽きたらず、つい会社を替えることになりました。

しかし、車のセールスという仕事を見つけてからは、30年近く、そこに身を置いたわけで、そんなに浮気性なわけではありません。

実を言えば、ＢＭＷの新宿支店長のときに、ベンツ系ディーラーからお誘いを受けたことがありました。これがヘッドハンターとの初めての接触でした。

お話を聞くかぎり、よそへ移っても、あまり仕事内容が変わらなかったので、その話はお断りしました。

私はアメリカ式に会社を替えながら、キャリアアップするのがいい、と考えているわけではありませんが、自分の年齢との兼ね合いで、同じところにいて最終的にある地位につくか、思い切って転職してその地位につく時間を短縮し、しかも次に、もっと違うフェーズに進む準備をするか、となると、後者の選択に傾くタイプです。

自社で業態開発をする時間を省略して、専門のノウハウや技術を持った会社を買い取ったほうが賢い、というのがＭ＆Ａの考え方です。私は個人の転職にも同じ論理を感じるのです。

転職することで、実は時間を買っているのです。いまの会社にいるかぎり、ある仕事を任せてくれるのに10年はかかるとします。それがよそへ行けば、明日からでもそれに着手できるのです。この違いは大きい。

私自身が本格的なビジネスマンとしてのスタートが遅れたので、どこかで時間短縮をしないといけない、と漠然と考えていたように思います。

時間短縮のほかに、ヘッドハンターに触れること自体に意味があります。彼ら自身がひとかどの人物ですから、その言動から刺激を受けることがあります。

さらに、彼らを通して自分の社会的・客観的な評価を得ることができます。そうか、自分がやってきたことは、対社会的にはそういう意味合いのことになるのか、と一段高い位置から自分の履歴を眺めることができます。

悩ましいのは、ヘッドハントが来るときというのは、いまの仕事が順調に、あるいは思いがけないほど好調に推移しているからで、辞めどきが一番難しいときでもあるのです。

いろいろ悩んで決断するわけですが、個人にとってはそこでＯＫでもＮＯでも、とてもいい勉強になります。人生の大きな方向性を決める難問を悩んだことで、ひと回り自分が大きくなるのです。

会社に残る決断をすればしたで、これからの課題が明確になります。もし次回にお誘いがあったときに、自信をもって応じられるように、自分を改造していくポイントが分かるのです。

やっと日本のビジネス環境も変わって、若者になると12%超の人が転職を経験する時代に入っています。40代はまだ2%台。

それでも転職支援のノウハウがあちこちで積み上げられてきていますので、以前に比べれば重大決断でもなくなってきたように思います。

私自身は毎回いい転職ができた、と思っています。確かに社員一人一人の顔を思い出して、後ろ髪引かれる思いは強いのですが、彼らの先達になって、ロールモデルを提供しているのだという気持ちも、どこかにはあるのです。とくに女性に対してはその思いが強いのです。

みんなが転職平均3回ぐらいの社会になれば、けっこう自由度の高い社会のような気がします。10年ごとの転職が3回という計算です。

第3章 売れる営業は目のつけどころが違う

高いモノが売れるにはワケがある

輸入車の販売台数が03年で27万台。シェアは8・7％。しかし、500万円超では、輸入車が約60％のシェアを占めています。ベンツ、BMW、ジャガー、アウディというブランドがものを言う世界です。

そこにトヨタが北米で人気の「レクサス」で参入して、高級車戦線はにわかに騒がしくなってきました。何しろ年間1兆円超の利益を稼ぎ出し、シェアも43・9％という巨人が参戦してきたからです。

さすがのトヨタでもブランド物の世界では、思うようにいかない、という意見もあります。ブランドには見えない要素があるからだ、というわけです。

しかし、レクサスは00年から5年連続でアメリカで販売台数が1位、その実績をぶら下げて、テレビコマーシャルなどで〝輸入車〟のイメージで宣伝をかけていけば、他社の脅威になることは確かです。トヨタはここでも40％以上のシェアを狙っていると言われます。

ちょっとマクロの話をしましたが、そもそも人はなぜブランド物を買うのか、という基本的な話をしようと思います。

ブランドというのは、ひと言で言えば〝信頼性〟ということだろうと思います。常に品質がいいので、そのブランド名が付いていれば、安心して購入することができる――それがそもそもブランド物が買われる理由です。

それに、ブランド物には希少価値という特性があります。なかなか手に入らない、限定生産である、というのは大事な要素です（だからといって、値段が高いとは限りません）。

西宮にツマガリという洋菓子店があるそうです。以前に読んだ新聞記事から要約してみます。

支店は大阪と神戸のデパートに3軒だけ。出店依頼はあちこちから来るそうですが、出す気はなし。それでも全国から日にクッキーなどの注文が300件もあるそうです。

店はあえて半地下に。1階でないと繁盛しないと言われる世界で、あえて逆を行ったわけですが、理由は「外からよく見えるから」だそうです。

インテリアは創業以来、ずっと変化なし。値段も18年間変わらず。名前もしゃれた外国名にしない。それは「これは僕の菓子ですから」と社長の津曲孝さん。

小さな店なのに経営コンサルタントが驚くほど売り上げる。しかし、坪効率がいくらとか、合理性で攻めても、同じ結果は出せません。

「商品には経営者の良心がにじみ出る」

というのが津曲理論の真髄です。パンフレットを求める客には、必ずお菓子をいくつも添えて送る、と言う。「細かいところでケチケチしない」のも津曲理論。

ブランドを作り上げるには、こういう真っ当な経営哲学なり商品哲学がないといけない、というのがブランド物の第3の条件。

お客をだましたり、すかしたり、迷わせたりすれば、たちどころにブランドは露と消えてしまいます。そのはかないものを、最大の神経の細かさで何十年も支えていく覚悟がないと、ブランド物は作り上げられません。

中古ブランド品の「デパート」を自称するコメ兵は、バッグの新製品が出ると、すぐに買い込んで分解し、小さなビスにいたるまで検査をするそうです。確かな物を仕入れているとお客様に知ってもらい、信頼してもらわないと、この商売は成り立たない。ゆえにネットオークションの会社から鑑定依頼されるほどのノウハウを積み上げることになったと言います。

そして、経営哲学がまたいい。

「高く買って安く売る。中古は儲けすぎてはダメ」

私も長くブランド物の世界に身を置いた人間です。すでに定まった名声を維持、発展させることの苦労も知ったつもりです。

大衆製品を売るのとはまた違った、独特のセールスの世界であることは確かですが、津曲さんが言うように、「商品には経営者の良心がにじみ出る」というのは、高級、一般問わず通じる哲学ではないかと思います。

買い物はエンタメである

ここにおもしろいデータがあります。

「調査報告2001　4つの価格――価格に関する30の生活者法則」（博報堂発行）です。私は雑誌で見たのを切り抜いておいたのですが、買い物をする場合の心理を一般の人に聞いていて、「最もドキドキするのは」「最も慎重に考えてしまうのは」と尋ねているのですが、もちろん1000万円単位の買い物をする場合は、どちらもパーセンテージが高い。

ところが、不思議なことに10万円単位の買い物をする場合より、100万円単位の買い物をする場合のほうが、「ドキドキ」したり「慎重」になったりする人の割合が少ないのです［次ページの図を参照］。

資金的にだいぶ余裕のある人が100万円のものを買ってもさほど感激はないかもしれませんが、あまり資金に余裕のない人が10万円のものを買えば、冒険的で、刺激が強いは

買い物心理と価格帯

出所「調査報告2001 4つの価格――価格に関する30の生活者法則」(博報堂発行)

最もドキドキするのは

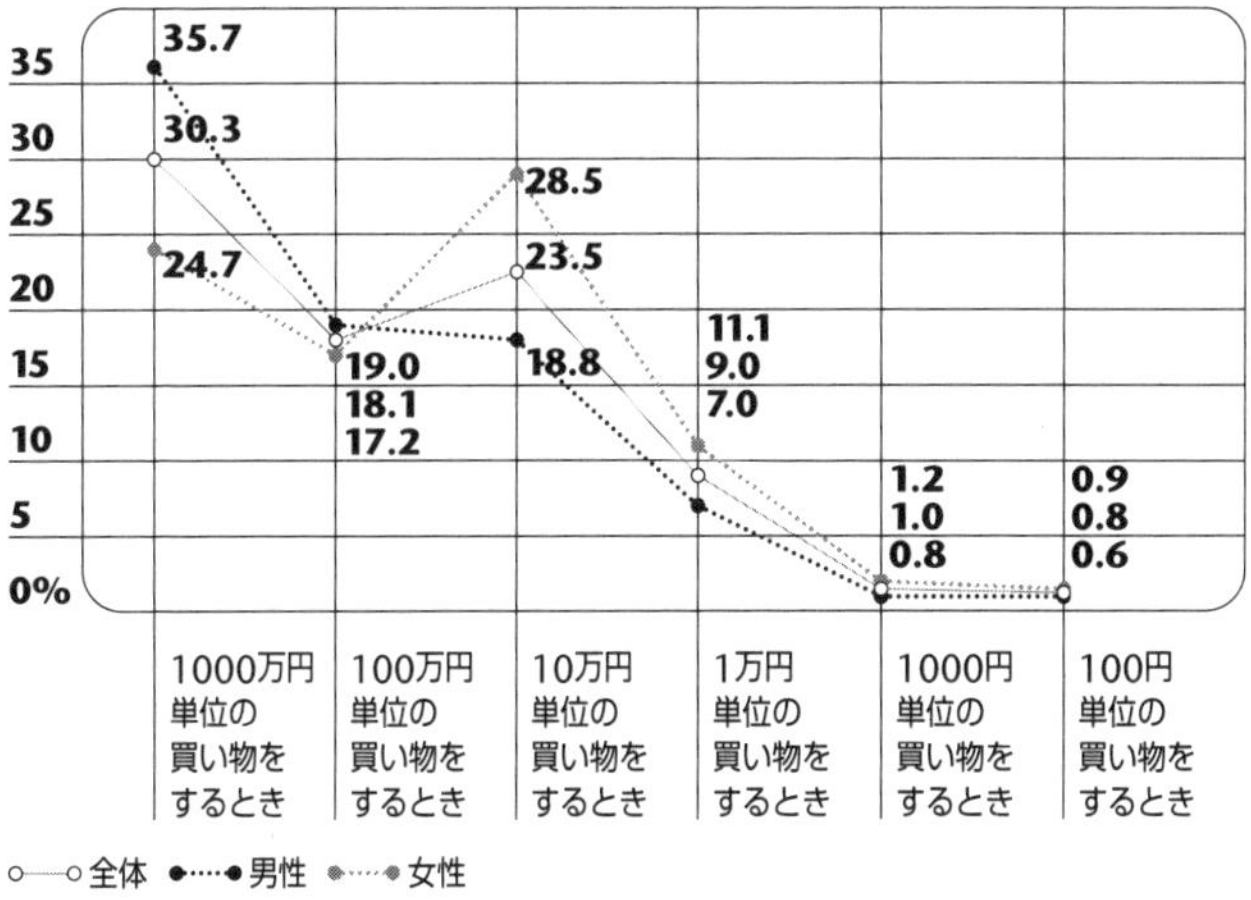

ずです。

このデータから、調査対象者に資金的な差がある、あるいは別の言い方をすれば、消費は二極化していると言えると思います。

デフレと言いながら、六本木ヒルズを持ち出すまでもなく、高給マンション、高級化粧品、そして私の扱っていた高級外車などが好調な売れ方をしていることを考えれば、頷ける話です。

資生堂には「クレ・ド・ポー　ボーテ」という高価格ブランドがあり、よく売れています。価格帯で最も売れているのはドラッグストアなどで売れる

3000円未満のものですが、一方でこのブランドの25グラム5万円の美容クリームも売れているのです。

ここにも最近の消費者の動きがよく出ています。

先ほど二極化という言葉を使いましたが、それは消費者が二極化しているという意味もありますが、消費行動が二極化した、という意味でもあります。

たとえば外車のショールームに実にカジュアルな恰好で車を見に来る方がありますす。年配の方でも、そういう方がおられます。着るものにはそうこだわらない、でも車にはこだわる、そういった消費行動の二極化も進んでいるように思うのです。

デフレ化で進んだのは、何にお金をかけるかという意識ではないでしょうか。

自分のなかであまり価値観を置かないものにはお金をかけない。しかし、衣服にこだわりがあれば、ふだんのけちけちとは打って変わって値の張るブランドものを買ってしまう、というわけです。

いま原宿の裏通りには、何万円もする衣服を求めて、高校生あたりがたくさん集まっていると言います。

では、安いものはただ安ければいいのか、ということになりますが、そこにも新しい動きがあります。ひと言でいえば、安くてもいいものを求める動きです。

100円ショップが雨後の竹の子のようにできたのは、あの価格で、ものすごい品揃えだったからです。まさかこんなものまで100円で買えるのか、という驚きがありました。つまり「ドキドキ」があったのです。高級なものを買うのと反対のベクトルですが、これも買い物の楽しさの1つです。いわゆる掘り出し物探しです。

コンビニで200円近くするこだわりのおにぎりが売れているのも、すでに時代は安かろう悪かろうではなくなった証拠です。

つまり高くても、安くても、消費者はこだわりを持って、できれば「ドキドキ」を味わいたくて、買い物に向かっているということです。そこに応えられるか、演出できるかで、ビジネスの勝敗は決まってしまうのではないでしょうか。

ニーズは日常のなかに眠っていると気づくことが大事

スターバックスの第1号店ができたのが1996年、それが2003年には500店舗に増えた、と同社のホームページに記されています。それよりやや早く1993年に初登場したのがシネコン、現在、総スクリーンの半数以上を占めています。

失礼な言い方になるかもしれませんが、喫茶店も映画（少なくとも邦画）も斜陽産業で、今の状態を予見できる人は少なかったのではないかと思います。特に喫茶店など、もう使命を終えたのではないかという感さえありました。

それが、いざ目の前に新しい姿で登場すると、「前からこんなのが欲しかった」という思いになるから不思議です。よく商いのニーズは日常のなかに眠っているという言い方をしますが、いまだ消費者が喫茶店や映画に何かを求めていると読んだ人たちがいるのが素晴らしい。

この種のニュースや記事を見ると、いつも反省させられます。ビジネスチャンスって、実はそこらじゅうにあって、私たちはただそれに気づかないでいるだけにすぎないのではないか……と（ここでビジネスチャンスの部分をセールスチャンスと読み替えていただいて結構です）。

ピザの宅配で急成長したピザーラは、浅野秀則フォーシーズ社長が「ホームアローン」という映画を見て、なかにピザの宅配シーンがあることから思いついたと言います。日本人であの映画を見た人はたくさんいたでしょうが、それでビジネスを思いついたのはピザーラの社長さんだけかもしれません。それまでもいろいろな事業に挑戦し、常にビジネスチャンスがないかとアンテナを張っていたからこそ、「これだ！」と気づいたのです。

ことサービスに関しても、私たちが気づかないために、まだやられずにいることがたくさんあるような気がします。

たとえば、グローバルダイニングの長谷川耕造氏は、雑誌で次のようなことをおっしゃっています。

「日本はサービスが高度と言っていますが、アメリカではごく普通の店でも、頼んだモノが頼んだ人にちゃんと運ばれてきます。日本はそうなっていません」

私たちには日本のサービスは高度に発達していて、世界に誇れるものだ、という感覚があります。経済発展する中国がこれから日本に学ぶのは、細やかなサービス精神だ、と言う識者がいるくらいです。

ところが長谷川氏にすれば、それが疑わしいというわけです。

たしかに、お店によっては、座席にすわってしばらくしても、誰も注文を取りにこない、ということがあります。テーブルにブザーを置いているところもありますが、店員が一人、お客の方を向いていればすむ話のように思います。

きっと私たちの気づかないところで、サービスにほころびができている可能性があります。そこに気づくか気づかないかで、差が徐々に開いていく時代になってきたのではないかという気がします。長谷川氏の話は、私にそういう反省を促します。

自分が普段、不具合に思っていることが、サービスとして掬い上げられた時、人はそれを「待ち望んでいた」と感じるのではないでしょうか。逆を言えば、放っておくと日常に埋没してしまう不満や疑問のなかに、サービスチャンスがあるということです。

たとえば、〝頻尿〟というのは本人はつらいものの、病気として扱われるほどのものでもない。我慢して付き合っていけば、日常生活を送れないわけではない。腰痛とか肩こりなども、その部類に入るのではないかと思います。

これからの医薬は、生活のなかに埋没させられてきたそういう〝プチ病い〟に効く薬の開発が盛んになると言われています。意外なほど多くの人が必要としていることが分かってきたからです。

たとえば、ちょっとした上がり性の人がいたとします。副作用がなくて習慣性もない、それでいて少しのあいだ神経の働きを抑えるプチ精神安定剤などができると、結構、ニーズがあるのではないでしょうか。スピーチなどの前にさっと飲むと効果あり、ということで、人気を博するかもしれません。

ビジネスチャンスあるところにサービスチャンスがあるとすれば、日常をもっと別の面から掘り起こせ、というのは営業にも有効な言葉と言えます。

〝すぐそこビジネス〟がすぐそこに

駅がとても様変わりしていることは皆さんもご存じだと思います。大きな背景としては、働く女性が増えて、仕事帰りにモノが買えたほうが便利、それも深夜までやっていると余計に便利、ということがあるのだろうと思います。

駅によっては足裏マッサージのお店があるところがあります。とくに女性には靴の形のせいもあって疲れやすく、このビジネスは嬉しい。

町中に肩や腰を揉むビジネスもあります。

あるいは、一眠りするスペースを提供するビジネスもあります。

これらが体を癒すビジネスとすれば、辻占いなどは心を癒すビジネスです。

私はそれらを総称して、「すぐそこビジネス」と呼んでいます。欲しいと思ったときにすぐに手に入るサービスを提供するビジネスのことです。

男性、女性向けの格安カットのお店も、それに入るかもしれません。何しろ短時間でかっこ良く変身できるのです。

もともとあるものでは立ち喰いそばなどは、その元祖みたいなものです。それと回転ずし。あるいはカレーチェーンなども入るでしょう。基本的に食べ物関係は、すぐそこ系が多い。

本を頼んで翌日には届くネット書店なども、それです。時間の短縮が命です。

消費の二極化を言う場合、時間サービスというのも大事な要素です。省くか、逆にラグジャリーにするかで、まったくビジネスの様子が違ってきます。

いままで挙げたのは短縮系のビジネスばかりですが、わざと遠い、不便なところに、それも限定数のお客しか扱わない高級旅館を作る、というのは延長系のビジネスで、それはそれで強いニーズがあるだろうという気がします。

つまり、我々は時間に非常にナーバスになっているということ。

それを意識して、時間を短縮するか、延長するか、いずれにしろ極端に演出することで、お客様のニーズに応えるわけです。

私はミニ銭湯が町のあちこちにあったらどうだろうと考えています。よく旅館でも小さなお風呂が1個だけ、というのがあります。あの種の銭湯が、町のビルのなかにあちこちとあるというイメージです。

汗でびしょ濡れのとき、あるいは夕方、ひと休みしてから会社に戻りたいときに、ミニ銭湯があるといい。もちろんそこには体を急冷する設備も必要ですし、自分でワイシャツやネクタイに簡単なアイロンがかけられたら、もっといい。

ミニ銭湯が近くにあれば、ダイエットのためのジョギングなどが昼間にできるようになります。家に疲れて帰ってから、重い腰を上げて、ランニングに出かける必要がなくなります。

かつて、銭湯に行くと、風呂場の大きな壁にタイルで富士山を描いてありました。いつ頃から始まったことなのか、それにしても心にくい延長系の演出だったと思います。

その反対に、ミニ石庭を町中のビルのあちこちに作ってはどうか。竜安寺の石庭を模してもいい。そこに行けば、すぐに端座して、精神の集中ができる。そういうラグジュアリーな空間も、都会には必要です。

単純化して言えば、我々は品物を買ったり、ものを食べたりしていても、実際は時間を買っているのかもしれないのです。ものの品質だとか、使い勝手だとかに目が行きがちですが、時間という横串を通すことで、別のビジネスが見えてくるような気がします。

高級外車を買われる方は、そのなかで過ごす時間までもお買いになっているのだと、私はいつも意識するようにしていました。だから、性能の話よりも、乗り心地に重点を置いて話をするようにしていました。

この本をお読みになっている方が、何をお売りになっている方か。

ご自分の売っている商品が、結果としてどういう時間の過ごし方を売っているのか、一度、意識してみるといい、と私は思っています。短縮系なのか延長系なのか、その2大区分を知るだけでも、その後の売り方、セールスの仕方が違ってきます。

発想の柔らかい営業ほどよく売れる

誰でも小さい頃は〝なぜ？　どうして？〟と森羅万象が不思議で、両親を質問攻めにあわせた経験があるはず。あの調子で大人になったら、いったいどうなることでしょう。ノーベル賞クラスの人間がたくさん誕生するかもしれません。

ノーベル物理学賞を取った小柴昌俊氏は、小さい頃薪をくべて、火の燃え上がる様子にみとれていたそうです。身辺のことに不思議を見出すその姿勢を、長じても失わなかったことが、結局はノーベル賞に結びついたのではないでしょうか。

我々大人はたいていジグソーパズルははじっこのほうから、形や色の続きを見ながらはめていきます。ところが、小学校低学年ぐらいまでは、真ん中あたりからパッパッと形だけではめていくような子どもがいます。幾何学的な才能があるわけですが、親はまさか自分の子にそういう才能があるとは気づきません。ですから、小学校も高学年になると、夢のようにその才能が消えてしまい、気が付いたら算数ぎらいになっていたりします。

我々にはいくつもの隠された才能があるかもしれない、と考えるだけで楽しくなってきます。

セールスの仕事をやっていても、頭が柔らかいほうが、難局を切り抜けるのにいい。正解が1つしかないと思うと、トラブルが発生したときに、切り抜けが難しくなります。

発想を柔らかくする出発点が、いままで自分がやってきたことに「なぜ?」「どうして?」と疑問を発することです。もしかしたら別のやり方があったのではないかという見直しの姿勢は、とても大事だと思います。

それと、見方を変えること。

赤瀬川原平氏が新聞に書いておられたのですが、月の表面の写真を見ると、クレーターが膨らんで見える。本当は隕石の衝突でできたものなので、窪んで見えるべきなのですが……。

そこで彼は写真の上下を逆にするのだと言います。たしかにやってみると、クレーターはちゃんと窪んで見えます。影の付き具合が、いつも慣れている下側に付いておらず、クレーターの上部に付いているので、こういう錯覚が起きるらしいのです。

地球に生きているかぎり、我々は上から光を受けた状態でモノを見ています。その習慣があるために、本来上下のない月面クレーターも同じように見ようとするので、錯覚が起きるらしい。

時に見方を意識的に変えてみること。そうすると違う発想が生まれてくるかもしれません。高級車というのは本当にお金持ちが買っているのか？　走りが速いということが本当に大事なのか？　あっさりサービスなのに濃いめサービスに匹敵することはできないか？　などなど。あえて自分の思い込みを崩すようなことをしてみるのです。

数学者の藤原正彦氏は、勉強すればするほど分からないことが増える、とおっしゃっています。それは専門の数学ばかりではなく、日常の生活にもあるとして、次のような疑問を挙げておられます。

沸騰した湯に茶の葉を入れると急に泡立つ理由は？

あくびをするとなぜ涙が出るのか。

チョコレートとガムを一緒にかむとガムがなくなってしまうのはなぜか。

次から次と藤原先生は疑問の波に襲われると言います。きっと先生は既成のものに囚われない、自由な発想の方なのだろうと思います。

よくビジネス書などで問題処理型ではなく問題発見型の人間になれ、と書かれていますが、そのヒントがここにあるように思うのです。日常のものごとや常識とされているものに疑問を感じる癖をつけること、それが問題発見型の人間になるために必要なことではないでしょうか。

もちろん問題を発見した以上は、その解決法も自分で考え出したいものです。そうやって初めて仕事の首尾が一貫します。

売れないから売らないのではなく、なぜ売れないのかを考え、次にどう売るかと考えを進めること——発想が柔らかくなると、この一連の流れが自然と身についてくるようになります。

こころの余裕が仕事に出る

人って年齢じゃないな、と思うことがあります。

若い人でも相手の気を逸らさず、必要なときに自分の意見をちゃんと言う人がいます。その意見というのも、ある程度、その人の独自性が感じられるものだと、こちらも頼もしく感じます。

たとえば、ここ最近の消費行動について、私が次のように言ったとします。

「自然食のブームはきっと続くはず。自然破壊が進むと、その反動で自然回帰するのが人間だから」

「そうですね。いま地産地消運動のようなものもありますね。地元で採れたものを地元で食べる、それがひいては体にいいともいいますから。都市部に関しては、強制的にでも周辺に農地を確保したらどうでしょう」

ふーんと思ってしまいます。その人の思考の蓄積みたいなものが感じられるからです。それに具体的なアイデアまで入っているのがミソです。

そういう人は自分に自信があるから、話をしていても慌てることがない。じっくり相手の話を聞きながら、自分の意見を組み立てる余裕が感じられます。

私たちモノを売る人間は、多種多様な考え方、趣味の方とお会いするわけなので、できれば違和感なく応対できるだけの素養が必要だ、と思います。だから、私はショールームを閉める時間を早めに切り上げて、その分を自分の趣味や家族サービスに振り向けてもらおうとしました。

少なくとも輸入車を売る人間が、ただただ日々の仕事に追われるだけではいけない、と考えました。私は心から自信をもって顧客に対しないと、モノは売れないと考えます。

個人が興味を抱く範囲は、実はごく狭いもの。ただ、それを単体で孤立させないで、ほかのものと関連づけると、広がりが出てきます。

私は日本史が好きで、その種の本をよく読みます。

『逃げる百姓、追う大名』（宮崎克則著、中公新書）という面白い本があります。タイトルも魅力的です。

江戸時代のお百姓は貧しくて、年貢を払えず逃げ出すことが多かった、というイメージがありますが、この本には、お百姓は受け入れ先が決まったうえで逃げるのだと書いてあります。

お百姓は年貢を払ってくれる大事な存在なので、受け入れ先の藩では土地を無償で払い下げて、歓迎したらしいのです。しかし、逃げられる藩はたまったものではありません。自藩の百姓が他藩に逃げた場合の、取り返し条項は決まっていたらしいのですが、いろいろと理由をつけて、受け入れ大名はサボタージュを続けたようです。

歴史のおもしろさは、こういう意外な発見にあるように思います。そして、それが現代にも関連があるとき、余計におもしろく感じられます。

この本を読んで、すぐに私は、いま日本で進んでいる特区構想を思い出しました。たとえば、次のようなことです。

*魅力的な土地に移り住みたいと考えるのは、いまでも同じ。「住みやすい町ベスト10」などというのも、その類。

＊いま特区構想があちこちから出ているのも、江戸時代で言えば自藩の魅力度を上げているのと同じこと。
＊優遇制度を設けて外資を導入した中国の特区構想も、似たり寄ったり。
＊地方行政の三位一体改革は、言ってみれば地元に自立性を持たせ、創意工夫をうながすためのもの。追う大名よ、しっかりせよ、ということ。

ちょっとこじつけめいてきたので、この辺でやめにしますが、ある1つのことに詳しくなれば、それはほかにも適応可能、ということを言いたいのです。

能や歌舞伎について深く知れば、日本の伝統を流れるものは何か、という関心事と結びつきます。時折ブームが再来するのはなぜか、と考えればビジネスヒントになるかもしれません。

サッカーでもF1でも、麻雀でも競馬でも、核になるものがあれば、それがけっこう使えるのです。もちろん常にほかと関連づける工夫が必要ですが。

営業に表現力──それってホント？

この見出しを見て、苦手だなと思う人も多いのではないでしょうか。もちろん営業である以上、ある程度話がうまくなければなりませんが、絶対条件ではありません。よくトップセールスの人には、口の達者な人は少ない、とも言われます。

私がここで言いたいのは、お客様自身が表現力が乏しいことがあるので、営業がそれを的確にフォローしないといけない、ということです。

ショールームではお客様にシートに座っていただき、ハンドルに手をやって、感触を確かめていただきます。そのとき、印象をお聞きするわけですが、たいていの方は言葉にしづらい様子をなさいます。

そこでこちらが手助けをするのです。

「シートは身を包み込むような感じじゃないでしょうか」

「握りの具合が、かなり掌にフィットする感じじゃないですか」

「天井の圧迫感が少ないですよね」

これらは自分で試乗したときに、メモに残しておくのです。きっとお客様も同じ感じを抱くはずで、そのときに使えるように書き留めておくのです。

ここでも気をつけたいのは、あくまでお客様自身が気が付いた、という感じに持っていくことです。こちらが押しつけたのでは、十分に納得して購入した気持ちにはならないものです。

高級なものほど、自分の判断、テイストで決めたという充実感が大事になってきます。我々営業マンは、それをサポートする役目に徹するわけです。

ショールームは舞台、お客様は主役で、当然我々は脇役か黒子。決して出しゃばったような言い方はいけません。

結局、営業の表現力というのを過剰に考える必要がないということです。お客様の身になれば、自ずといい表現が見つかるはずです。

自分を高く評価してもらう方法

私は自分の経歴を思い返すたびに、自己PRにいそしみながら、転機を渡ってきたという印象を持ちます。とにかく女性であることでハンディキャップが大きかったので、「私は誰か、何ができるのか」をアピールしないことには、門戸が開かなかったからです。

ホンダに入るまでは、あくまで男性の補助の仕事だけ。ですから、自己PRはほとんど必要ありませんでした。

ところが、男性の牙城のカーセールスの世界に入った途端、私は自分の棚卸しを迫られました。何が得意なんだろう、人にアピールできるものって何だろう、男性に互してできるものって何だろう、短期間で成果を出さないと雇い続けてもらえないかもしれない……

ではどうするか。

ホンダでは、前歴で言葉遣いや事務仕事をマスターして、基本はできているとアピール。

もちろん車好きで、自分が乗っているのもシビック。その車のどこがセールスポイントかも、自分なりに整理して、訴えました。

最初に電話をして、その後にアピール文付きの履歴書を送るのです。これだと、ただ書類を送りつけるより、ぐっと印象が良くなります。

もちろん担当の方に会ったら会ったで、こちらの思いをじっくり、しかも熱を込めて話します。これは営業トークがどれほどできるかを、実戦で見せているのと同じことですので、ややテンションをあげて押し通します。

BMWに転身したときには、国産車で10年の経験を積み、トップセールスであったことを強調したのは確かですが、それよりも最初の電話で落ち着いた経験者の雰囲気を出すように努めました。年が40歳ということもありましたし、高級車販売にはそういう大人の雰囲気の人間が合っているのではないかと意識したのです。

例によって門前払いでしたが、どうか自己PR文を読んでみて、それで決めてください、と懇願しました。結局、相手は根負けしたかたちになり、「じゃあ、送ってよ」ということになったのです。

またしても実績をアピール。ただし、今回は高級輸入車を売るために、私はこう考えているという素案を中心に据えました。経験者であれば、それは当然のことだろうと考えました。

細かいことは省きますが、その頃のBMWのラインアップで、自分ならどこに主力を置くか、という点を強調しました。それと田園都市線周辺の重点化も挙げました。

さらに、ホンダの経験から、店舗の在り方にも触れました。とにかく車が映えるショールーム改革が必要と主張しました。まだ劇場型ディーラーという発想はしていませんでしたが、その芽のようなものは、すでにこの頃に育っていた気がします。

この後は、他社からお誘いを受けることが多くなったので、自己PRの機会は無くなりました。

欧米の履歴書は、現在を起点に過去に遡る書き方で、それもいかに自分がテーマを持って仕事をしてきたかをアピールする。私のやってきたことは、どっちかというと、それに近かったような気がします。

よくマニュアル通りの自己アピールをする人がいますが、面接官はすぐにそれを見破ってしまいます。ウソ偽りのないところを、誠実に話すのが、自己ＰＲの基本です。

私が面接する場合、経歴はもちろんですが、自分の夢をどこまで具体的に語れるか、そこにポイントを置きます。若者の場合、少し採点が甘くなりますが、夢を語れない人は採用が難しい。

私は、ビジネスマン、あるいはセールスマンと限定していいかもしれませんが、すべからくロマンチストであるべきだと考えます。夢を語れなくなったときが、その人のリタイアの時期ではないのかとも思います。

ということは年齢でリタイアするのは間違いということになります。アメリカは年齢による就職差別を認めないようですが、いずれ日本もそういう流れになるのではないでしょうか。

少し話がずれましたが、私は自己ＰＲでずっと夢を語ってきたような気がするのです。常に胸の奥に熾火《おきび》のようなものがあって、それが私を駆り立ててきたような気がするのです。

営業にはカウンセリングの技術が要る

別項で〝ご用聞き〟ビジネスについて触れましたが、それは現代風に直せば〝カウンセリング〟ビジネスということになるように思います。

有名なところでは靴をオーダーメイドするシューマスターのような仕事があります。足裏の長さ、甲高、指の並び方、土踏まずの様子、それぞれ個人差があるわけですが、大量生産の靴はあくまで平均的な像を想定して作っていますから、ちょっと敏感な人になると、かなり辛い思いをしている人がいます。

私の知り合いの男性でも、数カ月に1回は靴を買い直している人がいます。幅広がいいかもしれない、きついものより緩やかなもののほうがいいかもしれない、いや値段が張る一流モノのほうがいい、といろいろ試すのですが、どうもうまくフィットするものがありません。

結局、いまは布製のカジュアルな靴に落ち着いて1年近くなるそうです。さすがにきちんとしたパーティーや商談の席では黒の革靴を仕方なく履いているそうですが、半日履いているだけで、足の裏が痛くなるそうです。

この人は有名なシューマスターのところにも出かけたことがあるそうですが、靴はきついぐらいのほうがいい、という意見に賛成しかねて、オーダーメイドの靴は作らなかったそうです。

もしそのシューマスターにもっと人の悩みに心を傾ける気持ちがあれば、もう1人お客を増やすことができたのではないかと思います。技術は一流でも、カウンセリング能力が足りなかったのではないかと推測します。

靴は毎日履くもので、しかも個人差がとてもあるものなのに、いまだ主流が大量生産なのが、不思議でしょうがありません。たとえ値が張ろうと、悩みが深い人は気にしないはずです。私の持論、買い手のニーズに合えば高いモノでも売れるのです。

あるいは、枕。これも毎日使うモノで、しかも個人差が大きいものです。頭の形、長さ、首の後ろの窪みの深さなどなど、それこそ千差万別。

テレビや新聞などで枕と睡眠の関係などが報道されたこともあって、自分に合った枕を求める人が増えています。長く使えて、快眠がむさぼれるなら、普通の値段の数倍しても買う、という人がたくさんいます。

デパートなどでも、相談員をおいて、最適な枕のアドバイスをしてくれます。まさにカウンセリング・ビジネスです。

スーパーでは、野菜でも魚でもお肉でも、どんな調理があるか、どう調理するか、アドバイスするようなことも始まっています。

「これは旬の野菜ですから、まずはおひたしに。もし量が余ったら、バターだけでさっと炒めてみてください」

こんなアドバイスが気軽に貰えたら、嬉しい。名前の知らない魚を見たときなどは、どうやって食べるのかしら、と思ったまま買わずに終わってしまうことも多いはず。売り手とすれば、せっかくの機会を逃しているのです。

別項では、お年寄りが増えるから、ご用聞きビジネスが増える、と書きましたが、家庭で生活の知恵が伝わりにくくなっている、あるいはグローバル化で珍しい商品が店頭に並ぶようになってきた、など様々な理由でカウンセリングの必要性が高まっているのです。

サービス産業とすれば、お客様の求めているものを先取りして、「ああ、実はこれが欲しかったの」と言ってもらえることが一番の喜びです。その大事な1つが、カウンセリングだと私は思うのです。

カウンセリングで大事なのは、人の話をよく聴くこと。相手の要求、欲求がどこにあるかを、聴診器を胸に当てるようにして、聴き取るのです。

カウンセリングを受ける人は、カウンセラーの好意を得たくて、ともすると自分の思いを抑えて、相手に同調してしまうことがあると言いますが、カウンセラーが聴き役に徹しないとダメな理由は、そこにあります。

これからアメリカ型の主張し合う社会になればなるほど、ますます聴き役ビジネスの範囲は広がっていきます。

営業に不可欠な演出はプラス方向で使う

この項では、営業と演出ということについて触れていこうと思います。

お客様に接していると、どこかで瞬間、自分がトランスしているような感覚を味わうことがあります。おそらくお客様と波長が合って、自然と〝できる営業〟を演じているのではないかと思うのです。

お客様とすれば、せっかくのお買い物ですから、最良の営業と話がしたいと、密かに思っておいでです。買い物はエンタメというのは別項で書きましたが、お客様が主人公で、こちらがバイ・プレイヤーという役割です。

そうなれば、もちろんそこに演出が入ってくるのは当然です。誰が演出するのかと言えば、営業であるあなたということになります。

対面販売が嫌われるケースは、主人公（お客様）に主導権がない場合です。「安いよ、お客さん」と言われれば、ついそっちを買ってしまう。ところが、家に帰って冷静に考えれば、本当は別に買いたいものがあったのに……。

それにじっくり考えて、納得して買いたいという人にとって、そばに店員が控えているのは、何かと落ち着かないものです。

主導権はあくまでお客にありながら、演出はこちらがやる、というのは、なかなか高度な技を必要とします。

よく狭い空間に多くの人を詰め込み、普通ではない心理状態に持ち込んで高価なものを買わせる、いわゆる〝催眠商法〟のようなものがありますが、あれは演出としては邪道。あるいは数人でチームを作り、ある人はおだて役、ある人はおどし役に回って、お客に買わせるように誘導するような演出は最悪です。

お客様が自分で考え、自分で選択することが大事で、そのサポートとして営業がいる、という考え方です。

そのためにも、営業はお客様の一挙手一投足に神経を集中している必要があります。もちろんそういう素振りは微塵も見せずに、自然に応対しながらですが。

マイナスの言葉は使わない、使うならプラスの言葉、というのも基本です。ぱっと見て、ここがいいと思ったところを素直に言葉にするよう心がけたいものです。これは癖みたいなもので、言い慣れると自然と口をついて出るようになります。

声のトーンもあります。やや低めでゆっくりしたほうが、印象がいい。最近は、甲高い声で早口、しかも舌ったらずの聞き取りにくい発音の人が多いので、低めゆっくりは目立ちます。

はやり言葉は、ビジネスの場では使えません。「よろしかったでしょうか」とか「大丈夫ですか」「～じゃないですか」といった類の流行語は、よほど注意しないと、つい口をついて出るので、普段から意識しておくことが大切です。

身振り・態度による演出というのもあります。鷹揚にかまえて慌てた様子を見せないとか、機敏に動くとか、あまり細かい動作をしないとか、お客様の目の前で手をひらひらさせないとか——とにかく安心感を与える演出が必要です。

話の最中にあらぬ方を向いてしまう人もいます。本人にすればものを考える際のちょっとした癖にしかすぎないのですが、相手にすれば軽く扱われた印象を持ちます。

返事は即答が基本ですが、場合によっては〝沈黙〟とか〝言いよどみ〟のほうが効果がある場合があります。よほど大事な問題なのだという印象が相手に伝わるからです。これはどちらかと言うと、普段は即答を旨としている人ほど、相手に与える効果が大きいと言えます。

目線をどこにやるかという問題もあります。じっと目を見つめるのはご法度です。かといって全然視線を向けないのも問題です。ということで、相手の眉間のあたりに焦点を持っていくのがいい、とされています。

身だしなみはあくまで清潔感があることが大事です。アクセサリーで目につきやすいものとか、服装でも奇抜なものは、ビジネスには合いません。このあたりのことは、先輩の様子を見て、適度なところを探るようにしてください。

いくつか演出のアドバイスをしてきましたが、促成で身につくものでもないので、じっくりゆっくり身に備わるようにしていきたいものです。

第4章 チーム力でモノを売る秘訣

3K職場のすすめ

バブル華やかなりし頃、3K職場という言葉が流行りました。たしか「汚い、危険、きつい」の3Kだったと思います。主に肉体労働などの現場を指した言葉ですが、なんと無神経な言い方をしたものでしょう。あの後、『ガテン』という雑誌ができて、少し時代が変わったなと思ったものです。

私が3K職場と言う場合、「感謝、感動、感激」のある職場を指します。

かなり以前に雑誌で読んだことなので、いまもそうなのかどうか分かりませんが、リクルートという会社は事あるごとに〝感動〟を演出することを心がけていると書かれていました。たとえば、誕生日を迎えた社員の名をアナウンスして、みんなで祝福するとか、あるいは、その月で一番成績の良かった人を表彰する。

オフィスは仕事をする場だから、余計なことをする必要がない、と言う人もいるかもしれません。しかし、同じ仕事をするなら、せっかくだから楽しくやりたい、と私は思います。なにしろそのほうが、業績も上がるのです。

仕事は平々凡々と過ぎていくのが普通で、ルーティンが8割、流動的な部分が2割といったところでしょうか。大事なのはその平々凡々のときに、3K（感謝、感動、感激）をもって仕事ができるかどうかということです。

以前、あるテレビの人気番組で、お客の来なくなった、流行らない店をバックアップして立ち直らせる、というのがありました。店の主人を達人のところに修業に行かせ、基本からやり直させるようなこともします。場合によっては、秘伝の技まで教えて、お店再建のとっかかりを付けさせるのです。

あれやこれやの支援に、番組の宣伝効果もあって、お店は見事に立ち直る。

ここまではたしかに万々歳です。この番組がすごいのは、数カ月後にそのお店のリサーチをすることです。隠しカメラを使って店内の様子を探ると、またもや閑古鳥が鳴いている店がある。店長は修業で習ったことはどこへ置き忘れたのか、以前と変わらぬやる気のなさ。お客が入って来ても返事もしないお店もあります。

この番組が教えてくれるのは、平々凡々に耐えることの難しさです。常に千客万来であれば問題はないでしょうが、商売でそういうことは不可能に近い。

駄目になるお店と繁盛店の違いって、意外と簡単なところにあるような気がします。少なくとも繁盛店の達人たちは、自分たちの仕事に飽きがくるということがありません。串揚げの串の刺し方で味が変わる、と日々倦むことなく串差しに神経をつかう。うなぎの焼き方に全神経を集中する。天候でそばの茹で加減を変える。

達人たちは、毎日の仕事なのに「これでいい」と妥協することがない。きっと自分で設定している仕事のレベルが高いのでしょう。はたから見ればルーティンをこなしているように見えて、本人はいつも真剣なのです。

社員一人一人がそういう人間であれば、別に3Kを演出する必要などありません。本人が感謝・感動・感激のタネを持っているからです。

お客様に感謝と言いながら、初めての1台を売ったときと同じ気持ちをベテランになっても持ち続けることができるかどうか。

長くトップセールスを続けるのに、一番難しいのが、モチベーションを高く保ち続けることです。手抜きは凋落の始まりです。

そこでいつも自分のなかに３Ｋを呼び込む工夫をするのです。かつてはショールームにお客様が来てくださるだけで嬉しかったじゃないか、と思い出すのです。それがいまは電話１本でお買い上げくださる方がいる。ますます感謝しなくてはいけない。親子２代にわたってお買い上げくださる方もいる。それこそ感激です。

もしあなたが何人かの部下を持つ立場であれば、彼らに３Ｋを与えられるか、どうやって与えたらいいか、そう考えるだけでわくわくしてきませんか。

きっと３Ｋが日々の仕事の下支えになって、気が付いたら部や課の成績が向上していることに気づくはずです。

話しコミが業績を上げる早道

本当は「話しコミ」などという言葉はないのですが、私がとにかく機会を見つけては社員と話し込むので「話し込み」と「コミュニケーション」をくっつけて「話しコミ」という言葉が、自然と生まれました。「さあ話しコミをしよう」などと使っていました。

何を話すかと言えば、実に他愛もないことです。営業から帰ってきた人に「お昼、何食べた？」とか、「どこそこ行ったんでしょ。あそこの桜、きれいだったでしょ」とか……。私は廊下ですれ違うのにも何か一言、言葉をかけずにいられないタチです。

人間は言葉の動物だと言いますが、実は言葉で情緒の受け渡しをしているのではないでしょうか。ただ「桜」と言っても、「とうとう春爛漫」とか「今年もろくに花見もせずに終わった」とか、言葉の後ろには何らかのニュアンスが込められているはず。あまり言葉の裏を考えすぎるのもどうかと思いますが、どんな言葉にも相手の気持ちがこもっていると知っておくことは公私ともに大事なことです。

営業から帰ってきた人に「相手の反応、どうでした?」と聞けば、こちらが仕事の展開を気にしているのだと分かります。そこを「お昼、何食べた?」とやれば、「まずはあなたのことを気にしているんですよ」というニュアンスが伝わります。私はビジネスライクよりも、そのほうがいいような気がするのです。

考えてみてください。体調が優れない、気分が乗らない——それだけでその日の仕事の出来が違います。逆に言えば、土台の部分がしっかりしていれば、平均的にいい仕事ができるということです。

私たちは互いに泣いたり、笑ったりしている1人の人間です。1日会社にいる時間は、もしかしたら夫や妻と過ごすそれより長いかもしれません。何でもかんでもビジネスライクにと情緒性を排除するのは間違いです。

気分が前向きになるように全体の雰囲気をもっていくことが大事で、そのために「話しコミ」が必要なのです。

コミュニケーションという言葉がいつ頃から使われだしたか分かりませんが、そう昔のことではないと思います。せいぜいここ20年ぐらい？　ではその前は何と言っていたのでしょうか。英和辞書では「伝達・情報交換・通信・意思の疎通・連絡」といった訳語を当てていることが多いようですが、日本語では「付き合い」といったニュアンスのほうが実際に近いような気がします。少なくとも私はそういう感じで使っています。

営業の仕事は数字との追いかけっこです。日々数字を睨みながら、実は向かう先はお客様です。数字が前面にちらつけば、お客様に対してもそれが出てしまいます。当然、「お付き合い」といったニュアンスは抜け落ちてしまいます。

私が長くトップセールスを続けることができた理由は、お客様とも「お付き合い」のレベルを保ってきたからだろうと思います。相手を数字の道具にしない、と言えば分かってもらえるでしょうか。それは社員や部下に対しても同じです。

数年前、ある女性から電話がかかってきました。私はとっさには誰だか分かりませんでした。

「就職のときにご相談に乗っていただいた○○です」

とおっしゃるので、ああ、と思い出しました。お客様で娘さんの就職で悩み事を抱えている方がいて、そのお話を聞いているうちについ、「私にできることがあったら、おっしゃってください」と差し出がましいことを言いました。働く女性の先輩として、アドバイスしてあげたいと思ったからです。

お客様が「ぜひ」とのことだったので、娘さんにお会いして、お話をしました。そのときのお礼の電話をくださったわけです。無事就職されたことは知っていましたが、今度、結婚するのでご挨拶を、ということでした。

おそらくビジネスライクだけでやっていたら、こんな嬉しいお電話をいただくことはなかったでしょう。営業の数字も上げながら、人間的な結びつきも実感できるのですから、これに越したことはありません。

よく言うじゃないですか。仕事だけの付き合いはそれだけで終わってしまうことが多い、と。人間的なつながりができてこそ、ビジネスのパワーも上がるというものです。話しコミを勧める理由です。

ホウレンソウするのは上司のほう

ホウレンソウは言わずと知れた報告・連絡・相談を略した言葉。オフィスでよく聞く言葉ですが、いつも「報告」と「連絡」ってどこが違うのだろうと思っていました。それもなぜ「報告」が先で「連絡」が後かと。

ある仕事が始まったとします。

もちろん上司も承知のうえです。交渉ごとが始まると、上司はその進行具合を知っておく必要があります。いい出足なのか、相手は乗り気なのか、何か問題が発生しそうなのか、それらを総合的に判断する情報を早い段階で得ておく必要があります。

だからこそ先に「連絡」ではなく「報告」が来るのでしょう。包括的に内容が分かるように伝えるのが「報告」、その後に細かいつなぎ情報を伝えるのが「連絡」です。

最後に「相談」があるのは、どうしてでしょうか。

報告・連絡→契約となれば一番いいのでしょうが、ビジネスはそううまく進まないという意味で、ここに「相談」があるのだろうと私は思っています。

ある程度、相手との交渉が煮詰まったものの、ビジネスに慢心は許されない。最後のツメで失敗する例は枚挙にいとまがありません。そこで「相談」です。いままでのやり方で洩れはないか、お互いにウイン・ウインの関係を築けているか、ビジネスとして筋は通っているか、など担当者が上司と額を寄せ合って「相談」するのです。

部下は上司にホウレンソウを欠かしてはいけないことになっていますが、私はどうも逆なような気がするのです。部下は必要ないと言っているのではなく、上司もそれを欠かしてはいけないと思うのです。

日本経済新聞でしばらく「働くということ」というシリーズをやっていました。単行本にもなりましたので、ご覧になった方も多いのではないかと思います。

そのなかに日本の企業の抱える非人間性に疲れて会社を辞める若者が登場します。昔であれば、辞める側に非があるとしたものですが、3割近くもの新人が入社数年で会社を辞める現実があることから、雇う側にも何か構造的な問題があるのではないかと言われはじめています。

神戸大の五百旗頭《いおきべ》真教授は、最近の若者は優秀で、論文を書いてもレベルの高い人が多いと述べておられます。惜しむらくは競って発言する意欲に欠けると言います。よって若いうちに海外留学などで鍛えてはどうかというご意見です。

あるいは、世界一極小の歯車をつくった樹研工業の松浦元男社長も、若者のレベルの高さに太鼓判を押しています。同社は、人を雇うのに一番最初に来た人間を雇うそうで、それで間違ったことはなかったとか。番長だったり、暴走族だったり、とにかくすごい経歴の若者ばかり。そういう人間たちが世界最高のものを作り、英語は流暢に話し、大学の先生相手に講義をしたり、ある女性は大学入試の微分・積分をスラスラ解いたりできるようになったとか、とんでもない逸話がいっぱいです。

そういう貴重な財産の若者を雇いきれない日本の会社はどこかおかしい、そう思うのが自然だと私は思います。では、どうしたらいいのでしょう。

その1つの解答が、上司がするホウレンソウではないかと思うのです。上司である自分が何を求めているのか、どういう人間だからそういう発言になるのか、プロセス重視なのか結果重視なのか、チームプレーを評価するのか、単独プレーを愛するのか、自分が成功・失敗した仕事にはどんなものがあるのか、新企画のことで意見を聞いておきたいのだが相談に乗ってくれないか——いくらでも上司がホウレンソウすることはあります。

また上司と部下の関係では、どんな人柄のよい上司でも、そこには権威が生まれます。部下からこころを開いて接するのは難しい。上司から、自分がどんな人間かを裸になって部下と向き合う必要があります。

それを、ホウレンソウは部下がすべきもの、自分は仕事のマネジメントをするだけ、などと言っているから、組織は沈滞し、部下の覇気も元気もやる気もなくなって、結果、モノが売れなくなってしまうのです。

たしかに線の細くなった若者が多いように思います。しかし、その分、繊細な感性を持ち、明晰な考え方をする若者も多い。そういうメンタリティの人間に、命令調だけでは理解されません。仕事の意味や意義が分かれば、自ずと意欲も湧いてくるはずです。

上司は思いつきでものを言う、などと言われないようにしたいものです。それにはホウレンソウが欠かせません。私が口を酸っぱくして言っていることです。

ここが残念！男性管理職の難点

私は能力主義で若い有能な人を抜擢したりしたので、中間管理職無用論を唱えているのではないかと思われがちですが、それはまったくの誤解です。組織というのはトップと実行部隊だけがいればいい、というのは極論で、やはり間にインタープリター（通訳）がいてこそ、しゃきっとしてくるものだと思っています。

しかし、ただの情報の通路というのでは、管理職の意味がありません。下からの生きた情報を自らの経験と頭脳によって分析し、より精度が高く、そして〝使える〟ものにいかに仕立てるか、足りない部分は部下にもう一度アタックさせて、情報の欠けたピースを埋めることも大事です。

その一段バージョンアップした情報が、中間管理職を介してさらに上へと上がっていきます。

反対に上からの流れもあります。そのままの状態で下におろすとフリクションが発生すると考えれば、中間で独自の操作が施されることになります。

もちろん中間管理職がいつも上と下の通りのいいパイプである必要はありません。上にものを言い、下にも言いたいことを言う。

実はこの部分が往々にして欠けていたので、中間管理職無用論というのがＩＴ化進行とともに声高に叫ばれるようになったのではないかと思います。

しかし、間がないというのは、上にしろ下にしろ、不便であることに変わりはありません。上のホットな意見が直接現場におりれば、有無を言う余裕などなく、実行に移さざるをえなくなります。

下は下で、自分の未熟な意見を上層部に直接届けるには、やはり憚《はばか》りがあります。それをあえてする人間がそれほどいるとは思えないので、自然と上意下達の１ルートしか残らない、ということになります。

橋本治さんの『上司は思いつきでものを言う』は、力ある部下に嫉妬する中間管理職の不甲斐なさを描いて、痛烈です。しかし、決して中間管理職が無用だと言っているのではありません。嫉妬のあまり難癖のような注文を付けたり、理由にもならない理由をつけて案件を潰したりする、そういう姑息な上司を批判しているのです。

しかも、そういう上司を批判する権利を持つのは、優秀な部下である、との二重の枠がはめられています。

たしかに文句のための文句を言い、先延ばしのための理屈をあたかも建設的な意見のように装い、部下のアイデアを盗み、あたかも自分の意見であるかのごとく部長に進言する――こういうダメ上司はそこらじゅうにいます。

でも、そういう上司のもとからだって立派な社員は育つのです。中間管理職を管理する人たちの目配りさえちゃんとできていれば……。

ミドル・マネジメントの人たちは大半が自信喪失に陥っています。焼けたトタン屋根の上の猫、という表現がありますが、まさにその気分。礼儀を知らない若者たちに日々嫌みを言われ、部長からもじめじめと批判の唾が飛んでくる。

それで、まともな神経でいろと言うほうがおかしい、とミドルは音を上げる。

私は、会社で過ごす時間の多さを思えば、すごすごと逃げるだけでは、もったいないと思うのです。自分の子どものことなら、必死にどこかいいところを探そうとするはず。なぜそれを部下にはやらないのか。批判するから？　それは子どもだって同じ。無視するから？　それは子どもだって同じ。役職の上下が決まっているのだから、下の者が従うのが当たり前？　でも自分の子どもだって従わない。

日本の上司は、いつの頃からか、部下に自分の恥をさらけだすようなことがなくなりました。全身全霊で部下に向かうということも少なくなりました。人生を語る、理想を語る、家族を語る、仕事を語る、ということも忙しさにかまけて減りました。

いつの間にか、若者はそんなものは求めていない、と上司のほうからコンタクトをとることを諦めるようになりました。でも、本当のところはどうなのでしょう。

少なくとも私の経験から言って、若者は仕事で何か熱いものを感じたいと思っているのです。それを人生の先輩から学べるなら学びたいと思っています。説教なんかではなく、同じ仕事で悩み、喜ぶ１人の先達者として語ることを望んでいます。

自分から近寄っていく、ちょっとした勇気。それを中間管理職に求めたいのです。

ドリームチームは必要ない

マネジメントの本はそれこそ山のように出ていて、理論的な構築もなされているようですが、私は実にシンプルに「管理職に人としての魅力があれば、マネジメントは簡単」と言い続けています。

私がずっと管理職として心がけていたのは、部下と一緒に悩むということです。たとえば、こんな言い方をします。

「私にも分からない部分があると思いますが、その問題、一緒に考えてみましょうか」

「そんなことがあったのですか。その場に私がいればよかったですね。ごめんなさい」

こう言うと、部下がほっとするのが分かります。肩の荷がいくぶんか下りた気持ちかもしれません。

つい先輩だ、上司だとなると、大所高所からものを言いがちですが、相手の悩みを一緒に悩むという姿勢こそが大事な気がします。そうじゃないと、部下が抱えている問題が明確に見えてこない、と思うのです。

最近の管理職は頭でっかちで、ともすると論理を尽くして説得しようとしますが、言われたほうはそれで納得するわけではありません。頭で理解するのと、こころで頷くのとでは、だいぶ違いがあります。

あるとき、街を歩いていて、後ろから若い男女に先を越されました。そのときに、2人の会話が耳に入ってきました。女性の言葉遣いがとても荒っぽかったので、つい耳に残ったのです。

「なんで会社のおっさんたちは、年がいってるだけで、偉そうなこと言うんだろ。ざけんなって感じ」

これが女性の言葉（もっと汚い言葉遣いでしたが、とうてい写し取ることできず）。

若い男性が答えました。

「そう言うなよ。経験がものを言うってこと、あると思うよ」

そう、そう、と私はその男の子にエールを贈りたくなりました。

しかし、その女性の意見のほうが、いまは主流なのだろうとも思うのです。年齢が上だからと言って、何を威張る権利がある、と若者は思っています。

「共感」という言葉があります。一緒に悩むというのは、「相手に共感する」ということ。その共感するこころが、管理職で非常に弱っている、と思うのです。

たしかにいまはビジネス環境が大へん厳しい時代で、管理職としては常に数字や成績に追われている気分でしょうから、部下を見るときも、ついシビアになるのも分かりますが、それでいい結果が出るのか、ということです。

少なくとも私の経験から言って、人間関係がギスギスするばかりで、組織の体をなしません。みんなで一緒の方向に向いている感じがしないのです。

私は組織は多様性が大事だと思っています。能力のある人が2割、ごく普通の人が6割、そしてもっと頑張りが必要な人が2割。

それを能力のある人だけで組織を作って、うまく行くのかということです。

何か特殊なプロジェクトを限られた期間で成し遂げる、というならそういうドリームチーム編成も可能でしょうが、日常業務もこなしながらとなれば、多様な人材がいないと、組織は機能しません。

それぞれがそれぞれの持ち場で最善を尽くしながら、全体では同じ方向を向いて仕事をする――それが組織のあるべき姿だろうと思います。

私は能力主義を否定する者ではありません。しかし、組織をうまく機能させるという立場から言えば、能力だけで人の編成をするわけにはいかない、と思うのです。

組織をオーケストラにたとえると、分かりやすい。

ほとんど聞こえるか聞こえないかというビオラのような楽器から、指揮者の横で華麗な音を出すピアノまで、いろいろな楽器が集まって、それぞれがベストを尽くし、指揮者のタクトに合わせて、曲を作り上げていく。そのアンサンブルがうまくいったとき、人に感動を与えることができるわけです。

そう言えばシンフォニーのsym-には「一緒に」という意味があります。私流で言えば、「共感」ということ。「共感」の振幅が大きい人ほど、管理職向きと言えるのではないでしょうか。

CSよりES、そしてFSへ

1980年代からCSという言葉がビジネスシーンで言われるようになりました。Customer's Satisfaction の略でCS、日本語では「顧客満足」と訳しています。当たり前のことを何をいまさらという感じの言葉ですが、ポイントは「満足」のところにあると思います。

お客様を満足させていますか、と聞かれて、すぐに「はい」と答えられるかどうか。たいていは、いくつかの留保がついて、「ほどほどの満足は提供できていると思う」と答えるぐらいが関の山ではないでしょうか。

この言葉を言い出すようになったのは、サービス産業が拡大して、まさに本格的なサービス合戦が始まったからで、顧客にきちんと目を向けないと生き残れない、と悟ったからではないかと思われます。

何がサービスかというのは、実に難しい。

ある人には不快でも、別の人には気持ちいい、ということはよくあることだからです。服屋さんなどで店員がぴったりと付いて、「何をお探しですか?」とやられるのが、嫌いな人とそれほどでもないという人がいます。

よって顧客満足というのは、そこのお客が何を求めているかを知らなければ追求しようがありません。

ある関東の地方都市で、東京都心部に本店のあるレストランがデパートのテナントとして入りました。料理はコースが主で、ランチと言っても、いい値段がします。始めの頃は珍しさもあって、お客が入っていましたが、それでもほかのテナントと比べると雲泥の差でした。

1年も経つと閑古鳥が鳴くほどの入りとなりました。そこでレストランは英断を振るって、主力をハンバーグ定食だとかオムライスなどに切り換え、ランチも値頃感のある設定に変えました。

格段にお客が増えたとは言えないまでも、どうにか持ちこたえていけるだけのお客を確保することができたようでした。

そのお店はいままでのやり方でやれると思ったのですが、それでは顧客満足を提供することはできませんでした。価格帯も違えば、商品のラインアップも違ったようです。

顧客満足を追求するかぎり、それには終わりはない、というのが私の考え方です。常にお客の気持ちは変化し、求めるものも変わります。それを敏感に感じ取って、常に新鮮な満足を提供するというのは、並大抵のことではありません。

さらに言えば、ＣＳの裏側にはＥＳがなければならない、不断のＣＳ追求はＥＳによって培われるものだ、と私は考えます。

ＥＳはEmployee's Satisfactionの略で、「従業員満足」と訳します。あまり聞き慣れない言葉かもしれませんが、私が常に心がけていることです。

ほかの項目ともダブってしまうかもしれませんが、大事なことなので繰り返しは大目に見ていただければと思います。

簡単に言えば、働き手が幸福でなくて、どうしてお客を満足させることができるのか、ということです。経営者というのは社員を幸福にする仕事をしているわけですが、それはＥＳがＣＳにつながって、結果、業績も上がり、さらにＥＳに転嫁できる資本が増えるということです。

会社は誰のためにあるかとよく議論になりますが、私はまずお客様、そして社員のためと考えています。この両者が幸せなら必ず業績に結びつき、結果、株主に貢献でき、責任を果たせると思うのです。

社会貢献をすることでＥＳが高まるのであれば、それも織り込んで経営をする。先にＣＳ追求は難しいと書きましたが、同じ事はＥＳにも言えます。会社が社員に魅力的に見えるためには、不断の努力が必要になってきます。

ともすると日本ではこのことが忘れられているように思います。以前の滅私奉公型のメンタリティがまだ残っているからではないでしょうか。

ＥＳの次はＦＳという言葉が生まれるかもしれません。Familie's Satisfactionの略で、家族を満足させられない社員は、いい仕事はできない、という意味の、私の造語です。

女性へのちょっとしたアドバイス

女性の働きやすい時代がやってこようとしているという実感があります。

少なくとも私が働き始めた頃は、女性を戦力などと考えている会社など皆無で、大企業は男性社員の結婚相手として女性を採用していた時代でした。

変われば変わるもので、自分で起業して社長になる女性がいるかと思えば、大企業の重大プロジェクトで中心的な役割を担う女性がいたり、経済アナリストとして発言する女性がいたり、女性の企業家を育てる塾を開いている女性がいたり、まさに多士済々です。

女性と男性は能力に差がない、というのはいまや常識でしょう。あるとすれば、仕事のやり方や考え方に違いがあるということです。性が違うのですから、これは当然のことです。

女性は男性と比べてコンセンサスを大事にする傾向が強いという特徴があります。それは仕事のプロセスを大事にするということでもあります。

それと相手を否定することから入らないで、一度は受け入れて、そこから議論を始める傾向があります。

男性と比べて、いろいろな面で細やかであることは確か。男性にもそういう人はいることはいますが、どっちかと言うと、少数派でしょう。

あと女性は自分の体と密に付き合うことになるので、男性のように抽象的論理をこねくり回す、ということが少ないように思います。

もちろんこれら1つ1つは、女性の欠点にもなりうるものです。

コンセンサスを大事にするあまり、結果が曖昧に終わりがち。

相手を受け入れる癖が抜けず、自分の意見を言う意欲を失いがち。

いろいろ細やかだが、大事に目がいかない。

自分の経験則から離れない。

男性の働き方だけが善ではないのはもちろんですが、では女性性だけで社会は回っていくのかと言えば、それにも疑問があります。男女がお互いのいいところを出し合い、補い合って、会社、ひいては社会が成り立っていくのではないでしょうか。

まだたくさんの問題が残っているにせよ、ようやくにして、女性も男性も、その本来の在り方を許容したうえで、ビジネスパーソンとして働けるようになってきたのではないか、という気がします。

もちろん育休制度の充実や、ブランクのあとの再雇用の保証（これは男性も含めてです）など、女性本来のライフスタイルをむげにしない社会システムができれば、女性はもっともっとイキイキと働くことができるようになります。

長く男性社会で働いてきた先輩として、いくつか同性のあなたにアドバイスをさせてください。

1 男性で個人を大事にする人は、相手の性も大事にします。

2 女性はどうも理由もなく群れがち。少なくとも正義があるのかないのか、それが人と群れる場合の基準です。

3 先にも記しましたが、常により大きな視点に立つことを心がける。

4 情緒で判断するのではなく、理性で判断すること。

5 いつもさわやかに、そして魅力的に。

6 人の意見を聞いたら、自分でかみ砕いて、あなた流に言い換えること。

7 仕事人間になること、そして家庭人でもあること（これは男性も同じ）。

こう書いてくると、まるで自分用の戒めのような気がしてきました。仕事のおもしろさに取りつかれて、あっと言う間の30年。幸せでしたし、これからも幸せでいようと思います。そのためにも、同性でたくさんの人が活躍する姿を見て、私も元気づけられたいと思います。

ここで、できる女性の定義を言いましょう。

それは、使命を持っていること。仕事であろうと何であろうと、使命感を持った人に誰もかないません。となると、男性も同じことかしら？

「では、あなたの使命って何？」と言われそうなので、ここに記しておきましょう。それは「お客様に尽くすこと」、それに尽きると思っています。

おわりに

人生まさに有為転変、この5月から私は流通業界に身を置いています。自分でもびっくりする転身ですから、私を知る人もたいてい驚きの声を挙げました。

ただ、この本を読まれた方は、私がなぜこの選択をしたかが、お分かりになるのではないかと思います。

そもそも本書のきっかけは7年ほど前に、あるパーティーで亜紀書房の編集者と出会ったことに由来します。具体的なオファーがあったのは5年ほど前、いろいろな事情があって、出版が延び延びになってきました。

いままでと違う業界に身を置いたがために、その踏ん切りがついたような気がするのです。ここら辺で自分の来し方を振り返ってみてもいいのではないかと思ったのです。

ちゃんと売れる本に仕上がったのか、いまはそれだけが心配です。やはり自分でモノを作るというのは、とても難しいことだと実感しています。

著者紹介 **林文子**［はやし・ふみこ］

1946年、東京都生まれ。都立青山高等学校卒業。東レ、松下電器産業勤務の後、77年ホンダの販売店に入社。当時としては珍しい女性セールスとなる。入社翌月よりトップセールスに。87年、ビー・エム・ダブリュー（株）入社。同社初の女性セールスとして、約5年間に400台の販売を達成し、営業管理職に。93年、新宿支店長に抜擢され、業務が低迷していた同支店を最優秀支店に育てる。98年、中央支店長に就任。同支店も最優秀支店に。在任中フォルクスワーゲングループにスカウトされ、99年直営であるファーレン東京（株）代表取締役社長に就任。4年間で総売上、販売台数とも倍増させる。2003年8月、ビー・エム・ダブリュー東京（株）代表取締役社長就任。05年5月、（株）ダイエー代表取締役会長兼CEO就任。「ビジネスの基本はコミュニケーション」を経営理念に掲げ、新生ダイエー再建に賭ける。

失礼ながら、その売り方ではモノは売れません

2005年7月15日 第1版第1刷発行

著者 **林文子**

発行所 **株式会社亜紀書房**
住所◆〒101-0051 東京都千代田区神田神保町1-32
電話◆03-5280-0261 ホームページ◆http://www.akishobo.com/ 振替◆00100-9-144037

印刷・製本 **株式会社トライ**
ホームページ◆http://www.try-sky.com

ISBN4-7505-0503-X C0033

亜紀書房の本
ビジネスヒントがいっぱいです

できる人のビジネスマナー
奥谷禮子◆監修
ザ・アール教育事業部◆著
〔1155円〕
オムロン、オリックス、ローソンなど多数の一流企業の社員教育を手がける
ザ・アールがオフィスで必要なマナーのエッセンスを贈る。
中堅どころなら、これくらいはマスターしておきたい。

ニューヨーク流 たった5人の大きな会社
神谷秀樹
〔1785円〕
著者は39歳でNYで投資銀行を設立し、
「グローバル・テクノロジー・アービトラジー」という先端的な事業を展開する。
しかも、究極の実力主義でありながら終身雇用という独特な会社哲学を追求する。

私は〝食〟の演出家
藤原勝子
〔1575円〕
フードコーディネーターの仕事は、
レストランプロデュース、メニュー開発、スーパーのコンシェルジュなど、
ますます活躍の場が広がっている。
その先駆けで第一人者が、魅力溢れる仕事の醍醐味を紹介。